I0016416

"轻模式"04

邱庆剑/著

脸谱式团队

人民东方出版传媒
東方出版社

序言　共演一出好戏

多年来，“团队”一直是一个热门词语。我们在与企业家打交道的过程中，几乎天天可以听到它从他们嘴里蹦出来。然而，真正的团队在他们的企业中并不存在或者很少存在。他们常常把部门或整个公司当做团队，可事实上，这些部门或公司大多数只称得上“群体”。

本书形象地告诉我们：在川剧演出现场，舞台上那一群人，是团队，而舞台下的那一群人，是群体。团队并非一群人聚合在一起工作那么简单。

成功的团队为什么不多见？一方面是因为传统意义上的团队理论没有被充分理解和消化，另一方面是因为成功的团队建设的确比较难。“轻模式”又称“减法管理”，践行着“化繁为简的管理回归”这一理念。作为“轻模式”的重要组成部分，“脸谱式团队”让团队理论通俗易懂，并且容易实践。

脸谱式团队，就像一个正在演绎一出川剧的剧组，每个人都按照剧本展示着剧中人物的悲欢离合。作为一种新型的团队，它主要有以下几个特点：

1. 目标清晰。

2. 角色特征外化在脸谱上。

3. 严格按“剧本”行动。

4. 无须“全才”，团队也能完美。

5. 解决了创造性与标准化执行的矛盾。

6. 解决了个性冲突与个性互补的问题。

7. 三步打造团队。

8. 把最适合的人放在最适合的位置上。

当然，脸谱式团队作为一种新型的团队建设理念和方法，其特别之处还远不止上述这些。脸谱式团队的建设，对企业各个层次人才管理、效率提升、基础工作的规范，都有深刻的影响。和“轻模式”其他版块一样，它所产生的回报是全方位的。

企业追求效益，非企业组织追求效率——本质上还是追求效益，脸谱式团队在提升团队效率和业绩方面，都提供了极大的帮助。“轻模式”最初萌芽于10余年前，我们在企业、事业和机关团体实践脸谱式团队，也已经有五六个年头。从实践来看，这一团队建设理念不仅适合于企业，也适合于非企业组织，它能帮助组织实现“人人‘入戏’，戏戏精彩”。

作为一种创新，希望脸谱式团队能得到广大读者和管理咨询界朋友的鼎力相助，请提出您的宝贵意见，帮助我们不断完善这一新型理论和方法。

目录

第 *1* 章

高执行力团队在哪里

很多人知道团队的重要意义，却打造不出优秀的团队。在“重要性”和“实践”之间，横着一道“坎”。其实很多管理理论都是这样的，知道其重要不难，实践却不易。

1.1 低效、乏味的工作

在我们所接触过的组织中，绝大部分人每天都在干着低效、乏味的工作，他们内心深处一直有一个声音在呐喊：“逃吧，逃离这里！”如果不是因为生活所迫，也许他们中相当一部分人真的就逃了。

比如，在企业里——

行政部的员工，日复一日有气无力地重复着安排吃喝拉撒睡方面的繁杂事情。

财务部的员工，日复一日有气无力地做着每一个月都差不多的会计凭证、登记账簿、编制报表。

人力资源部的员工，日复一日有气无力地填写着人事档案、安排新员工入职、计算员工工资等。

技术部的员工，日复一日有气无力地绘制着枯燥的图纸。

仓管部的员工，日复一日有气无力地填写着入库单、出库单，数着一件一件材料或成品。

流水线上的工人，日复一日有气无力地重复着简单的动作，看着一个工件来了，又去了，再看着下一个工件来了，再去了。

……

每一个人似乎都在跑马拉松，每一个人都在想："这样单调、乏味的工作，何时是尽头啊！"

也许只有销售部的员工觉得自己不是行尸走肉，因为他们每天都有机会在不同的地方接触到不同的人和不同的事。再就是策划部的员工，他们脑子里天马行空，可以在某些时段时忘记自己是在参与职场马拉松。

企业是由员工构成的，员工有气无力，企业也就差不多气数将尽了。很多企业里，这样的员工之所以还在坚持着，拼命抵制着外部的诱惑，那仅仅是因为他们相信"莫愁前路无老板，天下乌鸦一般黑"，如果走出去，未必能够找到一份比现在更好的工作。

1.2　为什么最起码的都做不好

员工如此痛苦，老板又如何呢？他们也快乐不起来。

为什么员工连最起码的工作都做不好？这是老板们经常困惑的一个问题。最起码的工作，就是那些最基础的，最简单的，不需要多少创造性，不需要多高的智力水平，就能够完成的工作。比如，会计把进账出账算清楚，库管员把货物清点清楚，门卫不把坏人放进公司，不让坏人把财产夹带出去。

的确，这些工作很简单。但如果从事这些工作的人“有气无力”呢？那就做不好了。有无气力的状态，是没有激情的状态，是没有敬业精神的状态，他们得过且过，应付了事，本来可以做到九分，但做到五分就止步不前了。

老板是生意人，他们习惯用生意中的交换原则来看待员工：我付你薪水，你就应该把工作做好。事实上，员工常常不这么认为。除非这份薪水激起了他们的工作热情，让他们对工作充满了热爱。

每个人的期望值是不同的，并且期望值会随着时间的推移而提高。你现在付给他的薪水，可以激起他的热情，过一段时间，他的期望值高了，热情就减退了。如果再和周围人作对比，发现自己得到的比别人少，受到了不公平的待遇，热情更会瞬间消失。

薪水不可能无限制地增加，当人力成本达到上限，却未能满足员工的期望值时，加薪就再也不能作为激励手段了。

1.3 执行为什么走样

执行为什么走样？这也是老板们常常困惑的问题。

不按标准的流程走，本来应该从 A 到 B 再到 C，员工偏偏要从 A 直接到 C。

不按工艺准则加工，一个工件本来应该四面喷漆，工人偏偏只喷两面。

故意省略一些控制点，保安巡查点有十个，可他为了偷懒，巡查五个就回去睡觉了。

如果员工是一台电脑，执行就不会走样，它会按照事先编好的程序运行。可惜员工不是电脑。当员工处于

“有气无力”状态时，逃避责任的本能就会凸现出来。第一次逃避责任没有被发现，或者被发现但未受到惩罚，他们就会尝试第二次，如果第二次依然没有被发现或者没有被处罚，他们就会尝试第三次……最终，这会成为一种习惯。

防走样的常见手段，是作业指导书的标准化——对每项工作都给出一份标准的指导书，让员工依样画符。能做到这一点，已经是相当不错了，但很多组织并没有做到。但更重要的是，如果不能彻底改变“有气无力”的员工，他们就会对作业指导书视而不见。

1.4　你所看到的只是“群体”

让老板们纳闷的是，八小时内有气无力的员工，在八小时之外却个个生龙活虎！工作时间一副受苦受难的样子，工作之余就翻身得解放。这其实是一种释放。就像让你听笑话，却不允许你笑；当你可以笑时，你能不一气笑个够？

为了将八小时之外的生机与活力，复制到八小时之内，管理者们绞尽了脑汁。思想教育或愿景规划，这个有效，但似乎不能持久。晋升、奖励、比赛，这些也是有效果的，但晋升不具备普遍适用性，奖励和比赛也不便于作为常规方法天天用。就像给小朋友发糖果，发多了也就没有吸引力了。有些管理者找不到方法了，就开始忽悠——见人就许诺：你今天好好工作，明天我给你回报。许诺多了，兑现不了，最终只会把管理者自己搞得威信扫地，开始说话还有人听有人信，后来根本没人再当真了。

“搞好团队建设!”

这是很多管理者挂在嘴边的一句话。

团队建设的确可以解决工作激情、工作效率、工作质量的问题。但是，很多人并没有搞明白团队的真实含义。在他们看来，整个组织是一个大团队，各个部门则是一个又一个小团队。实际上，他们看到的只是“群体”而已，一个大群体，中间包含了一个又一个小群体。

“团队”成为热门词汇，开始于20世纪90年代。在这之前，宝洁公司、通用汽车公司就已经在实践中运用团队管理了。然而，直到今天，我们能够看到的成功的团队仍然不多，倒是“群体”到处可见。

“群体”的建设很简单。把一群人集合在一起，让他们工作，群体就建设好了。“团队”建设却相对要难得多。团队本身也是一种群体，但不是一群人简单地集合在一起。团队成员有准确的角色定位，技能和风格互补，有共同的目标，有强大的凝聚力，行动标准，步伐协调，相互承担责任。有人给“团队”这样定义：团队是由员工和管理层组成的一个共同体，它合理利用每一个成员的知识和技能协同工作，解决问题，达到共同的目标。

我们做一个通俗的比喻吧。

学校篮球场上，临时聚在一起的五六个男生在一个篮球架下打球。他们没有分成小组，没有小组对抗，没有角色扮演，没有相互配合，每一个人都是独立的，谁抢到篮球就往筐里投，绝不传与他人。这种玩法在学校里是很常见的。

而在另外一个篮球场上，有十个人，分成了两个对抗小组。每个小组中有明确的角色：控球后卫、得分后卫、小前锋、大前锋、中锋。每个小组团结一致，目标是打败对手赢得胜利。在对抗过程中，小组成员相互协调与配合，以获取最强的战斗力。

这两群人，前一群是典型的“群体”，后一群是典型的“团队”。很显然，前者纯粹是玩，谈不上战斗力；后者是在竞技，战斗力超强。

反观组织，比如企业里的一个又一个部门，无异于那五六个玩篮球的男生，他们算不上团队，执行力自然强不起来。

在玩篮球的五六个男生中，我们常常会发现一个现象：个别技术好的，抢到球的机会多于他人，投中的概率高于他人，他成了中心，成了“明星”，其他一些人更多地沦为了“陪玩”的角色，更弱的个别人甚至很消极，球撞到自己手上了才接一下，其余时间根本不肯主动去抢——他们知道，抢也抢不过那些“明星”。

企业里也常常这样：一个部门中，有个别员工是“明星”，他们表现出色，做得多，很辛苦，而另一些人，懒洋洋的，几乎沦为观众——连啦啦队都算不上，啦啦队起码还能为运动员加油鼓劲。

1.5 什么是优秀的团队

很多人知道团队的重要意义，却打造不出优秀的团队。在“重要性”和“实践”之间，横着一道“坎”。其实很多管理理论都是这样的，知道其重要不难，实践却不易。

我在企业界有着二十余年的研究和实践经验，一直试图找到一种全新的、切实有效的、简单易行的团队建设方法，让更多的管理者跨过那一道“坎”。

我心目中的优秀团队，具备以下“十大”特征：

第一，有清晰的、共同追求的目标，团队荣誉和个人荣誉是一致的。

第二，有强大的凝聚力。

第三，团队成员有强烈的归属感。

第四，团队成员心理上相互认同和依赖，行动上相互配合与制约。

第五，充满激情，每一个人都如艺术家一样工作，努力展现自己的才华。

第六，工作有计划地开展，并且高效。

第七，团队成员相互学习，每一个人都能够得到成长。

第八，知识、技能、性格存在互补性，即使没有全才，整合起来也是接近完美的。

第九，各自履行不同的职责，不重叠，同时职责不留空白——每一项职责都有人承担。

第十，有共同的团队规范，并且共同遵守，重视创造力，但更重视创造的规范性。

当然还可以列出其他一些特征。但我认为，能够具备这十个特征中的七八个，就已经相当优秀了。这样的团队，一定具备强大的执行力。

在这些年里，我手握着上面十个特征，考察了许多团队，有体育竞技团队，有游戏开发团队，有企业产品设计团队，有工程投标团队，有机关专项宣传团队，有医院手术实施团队……事实上，这些团队各具特色，但都没有触动我，或者这些团队的特质本身就很难复制和推广。

有一天，在我观看一场川剧时，心中豁然开朗——这不正是我要找的成功团队吗？川剧剧组，就是一个高执行力团队！从剧组提炼出来的团队特质，可复制，可推广，并且通俗易懂。

第 2 章

剧组——高执行力团队

川剧剧组是最优秀的团队。这样的团队具有强大的执行力。如果我们能够在企业或其他组织中建设这样的团队，一定可以改变“有气无力”、上下皆痛苦的局面。

2.1 剧组具备团队“5P”

我以前没有接触过戏曲，对戏曲也没多少兴趣。那次去看川剧，纯粹是因为受一个朋友邀请，盛情难却。

孩子在身边，顺便把他也带上了。

因为塞车，到剧场时已经上演好一阵子了。川剧名叫《华容道》，讲的是三国演义中的一段。我们进去坐下时，见舞台正中一个官帽官靴的花脸表情痛苦，正在唱着什么。

“那是曹操！”孩子脱口而出。

我很惊讶，孩子从来没有看过川剧，其他剧种也从来没有看过。

“你怎么知道的?”

“因为他是白脸!”

“那对面那个呢，就是站在一个高台上的那个?”

“关羽!”

“你怎么知道是关羽?因为他的刀吗?”

“不啊，他的刀不在手上，在旁边那个周仓手上。我看他红脸，所以知道是关羽!”

原来孩子是通过脸谱来识别人物角色的。

说话之间，关羽捋着美髯唱道：“睁开丹凤眼仔细观瞧，狭路上果然是曹贼来到!”曹操接着唱：“君侯，你我许昌一别数载，今日相会，就曹贼相称，未免过意不去哦!”关羽听了，大喝一声：“呔!”接着又唱开了，“奉军令来拿你念甚故交，汉朝中论奸雄要数曹操……”

看着看着，我竟觉得川剧真好看，后悔以前没有接触。主要人物的对唱对白，句句精心设计，其余人物的动作、表情、语言配合也恰如其分，堪称完美。

台上那一拨人，不就是一个很好的团队吗?我脑子里突然闪过这样一个念头。当我有意识地用团队来对比剧组时，立即兴奋起来。拿传统的团队“5P”要素来对比，剧组竟然全都包括：

1. 要素一：目标（Purpose）

目标是团队存在的价值，是团队的方向和最终目的。川剧剧组的目标是十分清晰的：共同演好一出戏。当然，这个团队除了包括舞台演员外，还包括台后的导演、舞美设计、灯光设计、服装设计、音乐设计等人员。

2. 要素二：人（People）

人是团队的核心要素，没有人就谈不上团队。川剧剧组中的每一个演员，每一个幕后服务人员，都是这个团队中的“人”。

3. 要素三：定位（Place）

定位包括两个层面的意思：一是团队在整个组织中的定位，团队对谁负责；二是团队内部各个成员的定位。就这一点而言，川剧剧组也是做得十分成功的，剧组在演艺团的地位很明确，它负责的对象是演艺团的领导班子和观众。剧组内部的角色定位也十分精准，每一个人扮演的对象都不重复，又都不可缺少。

4. 要素四：权限（Power）

团队的权限，是随着团队的成熟度增长而降低的。

团队发展阶段，权限相对较大，团队中的领导人物具备较大的决定权，以完善和修正发展过程中遇到的问题。当团队逐渐成熟，需要完善和修正的问题越来越少时，团队中的领导人物的决定权也相对变小了。

关于这一点，放在剧组中也十分好理解。导演属于团队中的领导人物，当这个剧本还不完善时，他有权修正。比如，在不改变编剧意图的前提下，对台词做一些调整，对动作做一些完善，对人物站位和行走路线做一些设计，对灯光做一些调整……这些都是为了达到最佳的演出效果。当最佳的效果出来之后，剧组按这些方法行动，以后需要调整的就越来越少了，导演的修正权限也就逐渐降低了。

5. 要素五：计划（Plan）

团队没有计划，工作进度和效率都无法保证，目标自然也就难以实现。团队中的计划，不仅包括时间规划，还包括行动方案、工作流程等。

在川剧剧组中，计划也无处不在。首先是演出计划，什么时候演，在哪里演。其次是演出过程中，每一个角色的出场与退场，每一个角色的台词与动作，每一个角色出场多长时间，都是事前确定了的，确定这些事项的载体就是剧本。

2.2　剧组是高执行力团队

川剧剧组是不是优秀的团队呢？

在考察了若干团队之后，我认为，川剧剧组是最优秀的团队。体育竞技团队、医疗手术团队、产品研发团队等也都是不错的团队，但和剧组比起来，这些团队缺少一样非常重要的东西——剧本！

因为缺少剧本，执行就可能走样！

因为缺少剧本，规范性就难以保证！

体育竞技过程中，团队成员有时候配合不够，甚至出现个人英雄。比如足球队中，传接配合少了，个人带球突破，这个人可能风采无限，但进球的概率却大大降低。这种个人英雄的精彩表演，常常得到观众的赞许，进一步强化了队员做个人英雄的欲望。比如在四川足球历史上，有一个外援独自带球冲过半场，突破一道又一道防线，这个球员虽然没进球却得到了普遍的赞誉，那之后，球队中争当个人英雄的队员层出不穷。然而，这并不符合团队配合理念，最终无法提升球队的整体水平。如果有“剧本”限制每一个队员，我相信，配合就会更多地按照球队利益方向发展，向着教练希望的方向发展。

医疗手术过程中，手术质量除了要靠主刀医生的技术和医德保证外，配合也很重要。手术台边的每一个人，哪怕一名普通护士，也扮演着重要的角色。这时候，主刀医生就扮演着领导的角色。但是，为什么还会出现棉球甚至剪刀缝在病人肚子里的事故呢？因为缺少“剧本”，如果有一个“剧本”，每一个细节都事先约定好，每一个人每一步都按“剧本”行动，这样的事故即使不能完全杜绝，也可以大大减少。

我们还是拿第一章中列举的优秀团队“十大”特征来对比，川剧剧组也是无一缺漏的。这样的团队，自然具有强大的执行力。如果我们能够在企业或其他组织中建设这样的团队，一定可以改变“有气无力”、上下皆痛苦的局面。

2.3　成功剧组的打造

要复制剧组的团队建设理念，首先需要了解成功的剧组是如何打造的。

我和从事川剧工作的朋友做了深入的交流。通过交流我发现，成功的剧组来自三个方面的精心打造。

1. 目标打造

围绕团队目标，我们有很多工作要做。

首先，让每一个成员认识到团队存在的价值是什么，我们要达成什么样的目标。

其次，要让每一个成员的个人目标与团队目标保持一致。

拿剧组来说，他们的短期目标是演好这出戏，赢得观众，中期目标是树立剧组品牌，长远目标是让剧组立于不败之地。那么，个人目标是什么呢？短期目标是挣到演出费，养家糊口，中长期目标是成为优秀的演员，成为“名角”。

在确立个人目标的时候，要让团队成员深刻地认识到，每一类角色都是可以成为“名角”的，哪怕只是一个很不起眼的配角，因为荣誉不仅仅属于主要演员。

有了清晰的、有挑战性的、有吸引力的目标，就产生了激励作用，并衍生出精神层面的要素，这些要素正是优秀团队“十大”特征中包含的，如图 2－1 所示。

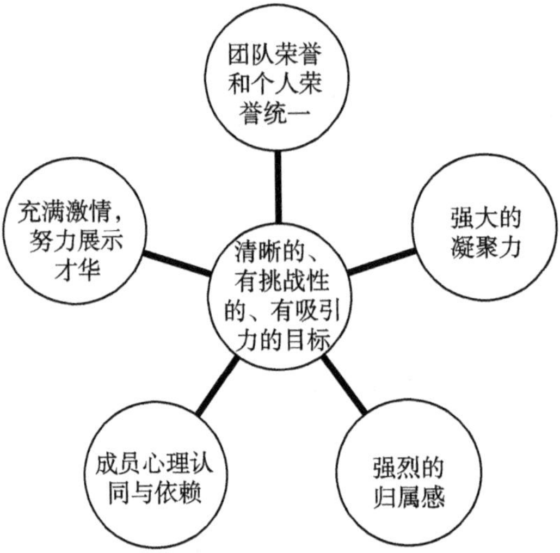

图 2－1　团队目标衍生的精神要素

2. 角色定位

这里特别需要强调的是，角色不仅仅包括舞台上的演员，还包括幕后人员。当然，所有幕后人员都是可以由舞台上的演员兼任的，比如编剧、舞美设计、灯光设计和服装设计，这些人员的工作和演员的表演不在同一时间，时间上可以协调。导演也可以是演员，现代演艺圈中，自导自演的现象并不少见。

在这些角色中，导演处于中心地位。其中舞台演员包括多个舞台演员，他们的职责是互补的，不存在重复。幕后设计人员中我们只简单列出三个，其余的省略掉（图 2-2）。

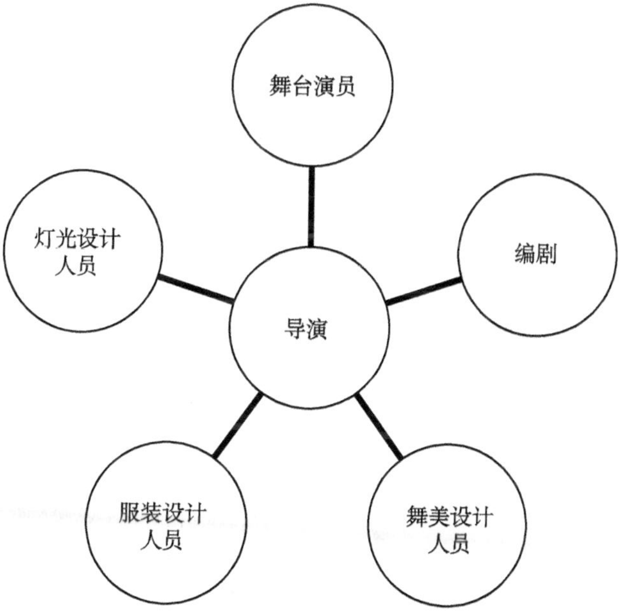

图 2-2 川剧剧组团队角色

随着社会分工越来越细，我们可以将剧组分为两个团队：一是导演和演出团队（图 2－3）；二是演出支持团队（图 2－4），包括编剧和各类设计人员。本书将重点讲述以企业为代表的社会组织如何复制川剧团队建设理念，以打造自己的优秀团队。在这些组织中，分工是很细的，我们将剧组分为两个团队，是为后面章节中讲述团队建设提供叙述上的方便，也更适合组织分工的实际情况。在组织中，业务部门属于“导演和演出团队”，后勤服务部门则属于“演出支持团队”。

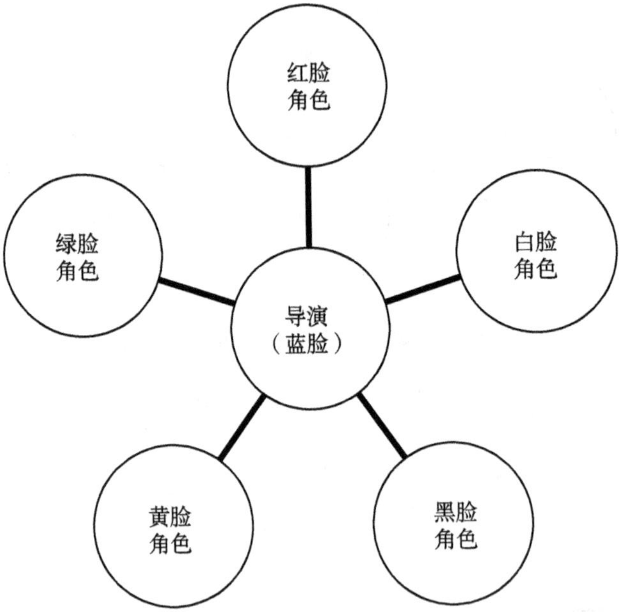

图 2－3 导演和演出团队

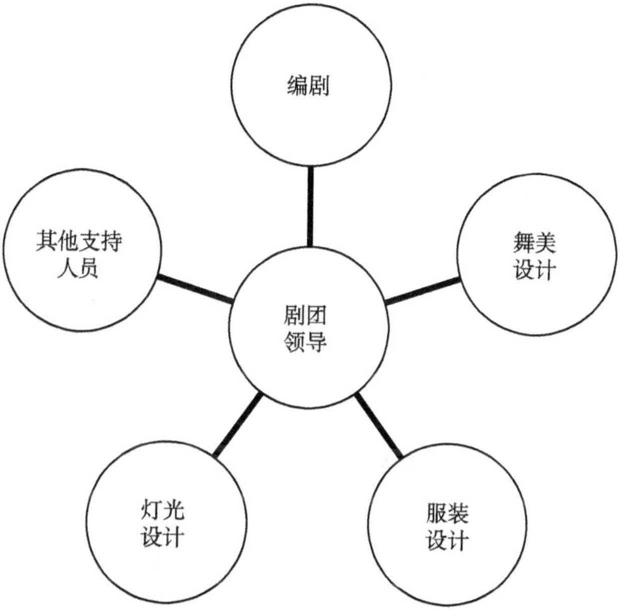

图2－4 演出支持团队

在导演和演出团队中，我们给出了六个颜色的脸谱，并将在后面的章节中讲述每一种颜色的意义。

有人可能会问，领导是什么角色？

领导可以在演出支持团队中担任核心角色，为导演和演出团队提供服务。在图2－4中，我们将剧团领导纳入其中。如果是在企业里，那么剧团领导就相当于管理者。

角色定位，要把握三个基本原则：

第一，定位准确，把每一个人放在最适合的位置。

世界上本来没有废物，只是放错了地方。在组织当中，很多员工之所以不优秀，不是因为员工笨，而是这个员工被放错了位置，不能发挥其所长。很显然，让一个张飞型的大汉去演旦角就明显不适合。

第二，特征外化，即脸谱化。

这一原则主要适用于演出团队。

什么叫特征外化呢？指的是从脸谱上面，就可以看出人物的个性特征。

脸谱是演员演出时面部化妆的一种谱式，它是在以不同色彩为基调的基础上，设计勾画具有一定规范的图案，用以显示剧中人物的地位、性格等的造型艺术。在设色寓意中，往往以剧中人物的道德品质以及人们对他的评价为依据，或歌颂赞扬，或揭露讽刺，或批判鞭挞，其贬其褒都要从脸谱中反映出来。

比如，包拯为官清正，不畏权势，铡皇亲，铡驸马，判侄儿铁面无私，是百姓心中理想的清官。他的黑脸膛表示为人刚直，印堂勾“山”字形笔架，额头画朱笔，象征他判案执法如山，脑门画月牙则显其一生廉洁，若明月当空。

再比如赵匡胤的脸谱，粗看虽和关羽一样，也是满红脸，但在寓意象征上则大有区别，双眉勾龙纹表示他为一代帝王，眼皮上画的一笔白粉，则表示他称帝后猜忌阴险，戮杀功臣。

通过脸谱让角色特征外化有两个目的：一是让角色扮演者很直接、很容易清楚自己要演的是什么样的角色，二是让旁观者一眼就看出他是什么角色——这一点，用在企业中，非常有利于部门内和跨部门人员的配合。

我和孩子在看川剧《华容道》时，他能够一眼看出角色是谁，就是因为角色的特征外化已经深入人心。为了给我答案，孩子还唱了一段歌。这段歌讲的是京剧，其实川剧和京剧在通过脸谱外化角色特征方面，是异曲同工的。

那一天爷爷领我去把京戏看

看见舞台上面好多大花脸

红白黄绿蓝

咧嘴又瞪眼

一边唱一边喊

哇呀呀呀呀
好像炸雷
叽叽喳喳震响在耳边

蓝脸的窦尔敦盗御马
红脸的关公战长沙
黄脸的典韦
白脸的曹操
黑脸的张飞叫喳喳……

在一个组织中，当角色认知达到人人皆知的时候，工作配合的难度就会大大降低，工作效率也会大大提升。

第三，角色互补，包括知识、技能和性格特质互补。

世间没有完全相同的两片树叶，也没有完全相同的两个人——孪生兄弟的性格都可能差异很大。我们在打造团队时，要充分考虑到个体的差异，让差异成为有价值的因素。

当技能差异相互搭配时，就可能得到求之不得的“全才”。你擅长一个方面，我擅长另一个方面，他擅长一个方面，三个人加起来就多方位擅长了。

性格差异会产生冲突，但不同性格的人合理组合所产生的正面效果却不可估量。所谓刚柔并济，就是性格搭配的理想状态。

角色打造所衍生出来的团队特质，也包含在我们所列举的优秀团队“十大”特征中：

团队成员相互学习，每一个人都能够得到成长。

知识、技能、性格互补，整合起来接近完美。

3. 剧本编写

对于剧组而言，剧本的重要性不言而喻。

我们考察时发现，很多团队有自己的行为规范，但却很简单，甚至只是做给别人看的，高高地挂在墙上或者整整齐齐放在文件夹里。

剧本不是挂在墙上的“规章”那么简单。更重要的是，剧本不应挂在墙上，而是要落实到行动中。剧本细化到每一个动作，每一个表情，每一句台词，从而有了完美动人的表演效果。如果每一个团队都有这样的剧本，何愁执行力不强呢？又哪来执行走样呢？管理者有剧本，可以放权让团队自我运行；团队成员因为有剧本和角色定位，可以迅速“入戏”。

问题在于，编写“剧本”耗时耗力，很多团队建设者都不愿意花太多工夫在上面。可是，磨刀不误砍柴工啊，“剧本”越完善，“演出”才能越轻松。

成功的剧本打造衍生出的团队特质，对应我们列举的优秀团队“十大”特征就是：

团队成员行为上相互配合与制约。

工作有计划地开展，并且高效。

各自履行不同的职责，不重叠，同时职责不留空白——每一个职责都有人承担。

有共同的团队规范，并且共同遵守。

2.4 要不要创造性

在我们列举的优秀团队“十大”特征中，包括了“重视创造力”。但是，无论是演出团队，还是幕后服务团队，都是按照编剧的意图来行动，比如演员，哪怕一句台词都不能改，何谈创造性呢?

事实上，剧组依然是要有创造性的，而且要发挥每一个人的智慧来创造。所不同的是，这种创造最后都要集中到导演这里来。

比如，某个演员认为台词和动作需要改进一下，才更能传情达意，这个意思就集中到导演那里，由导演来决定改不改，必要时还要征求编剧的意见。

我们所谓的“按剧本演出，不得更改”，指的是剧本一旦定稿了，你上舞台了，就不能擅自改动了。也就是说，创造性要重视，但创造建议是否被采纳由团队领导者说了算，不管是否采纳，一旦定下来，就不能再自行改动。

这里存在一个“放”与“收”的问题，类似于民主和集中。放：大胆创造。收：创意集中处理。

很多组织中出问题，就在于没有处理好创造性与集中处理的关系，往往有“放”无“收”，创造满天飞，结果各自为政。比如在企业生产团队中，工艺部门下达了工艺文件，员工发现改进一下或许更好，但没有把改进建议集中到工艺部门去，私底下就改了。站在工艺部门的角度来看，员工是违反了工艺操作规范；站在员工角度来看，却认为自己在创造，是为了维护企业利益。双方意见相左，于是产生矛盾和冲突。

2.5 管理者和员工的核心工作

通过对川剧剧组这一独特的团队进行分析，我们现在可以明确管理者与执行者的核心工作了。

1. 管理者的核心工作

管理者的核心工作，首先是打造好“剧组”，包括目标的确定，团队成员选择及角色定位，组织“剧本”编写和完善。

其次，管理者要参与到“演出支持团队”中，为演员们提供服务。对团队不闻不问的管理者，不是称职的管理者。

2. 员工的核心工作

员工的核心工作就两个字：“入戏”，即进入角色。按照定稿的剧本，用语言、动作、表情成功地演绎角色，与其他成员相互配合与制约，为观众奉献一出好戏。

第 3 章

脸谱式团队

在所有的组织当中，企业是最重视管理效益的，因为企业没有效益就无法生存。从本章开始，我结合企业来讲述我提出的“脸谱式团队”。

3.1 什么是脸谱式团队

用脸谱定位角色，让角色特征外化，演者容易领悟，观众一看便知。受到川剧的这些特点启发，我提出了一种新的团队和团队建设方法，并称之为“脸谱式团队”。

这些理论和方法，最早在十多年前就提出来了。如今，已经有不少企业在实践它。从实践来看，这种团队是高执行力团队。

什么是脸谱式团队？

脸谱式团队，是由特征以脸谱方式外化的多个角色组成的，利用具有互补性的知识、技能和性格特质，各司其职又相互配合协调，解决共同问题，达成共同目标的工作共同体。

脸谱式团队的最大特征，就是“特征以脸谱方式外化”，外化的目标有两个：

第一，让角色担任者明确认知自己的角色，从而履行好职责。即让执行者明白“我是什么，我该做什么”。

第二，让配合者直观认知被配合者的角色，从而降低配合难度。即让配合者明白“他是什么，是不是我配合的对象”。

3.2 广泛的适用性

在企业里，每一个团队都需要高效运作，每一个团队都不能放弃。

这些团队，包括“导演和演出团队”，比如采购部、生产部、销售部、研发部等，也包括“演出支持团队”，比如财务部、人力资源部、行政部等。

如果拘泥于传统川剧中红脸代表关羽、白脸代表曹操、黑脸代表张飞这样的定位，我们的脸谱式团队的适用范围就受到了局限。

为此，我们吸取脸谱外化角色特征这一思路，抛弃传统脸谱所代表的角色特征，建立全新的脸谱系统，用色彩通常的象征意义来定位角色。同时，为了履行团队的评价与考核职责，我们还设置了“考核者”，相当于“剧评家”。我们的脸谱系统包括六个不同基本色调的脸谱。

1. 蓝色脸谱

蓝色是最冷的色彩，它是永恒的象征，有着勇气、冷静、理智、准确、永不言弃的含义。但它也代表着忧郁。

蓝色脸谱相当于剧组的“导演”。在企业中，如果以部门为团队，则相当于部门副经理或骨干员工。他是团队的领导者，在部门负责人授权下，具备一定的团队管理权力。沉稳是他们的优点，但如果过于沉稳，就成了缺点，显得死板。通常情况下，不提倡部门经理担任蓝色脸谱，部门负责人作为团队成员之一，容易给成员带来压力，影响团队气氛。

2. 白色脸谱

白色是中性的，客观的，它既不是冷色，也不是暖色，没有色彩倾向。白色寓意公正、纯洁、端庄、正直。

但同时，白色也给人单调、乏味的感觉。

白色脸谱相当于“剧评家”。在企业中，它相当于团队进度控制、成绩评价和考核的人员。他们强调数据和事实，有时显得没有人情味。这里的控制、评价和考核，都是基于团队自己提升管理和业绩的需要，和人力资源部的控制、评价与考核不是一回事。

3. 红色脸谱

红色是感性的，它代表着吉祥、喜气、热烈、奔放、激情、斗志。但同时，红色也隐含着攻击性、肆意行动、不满、性急、不沉着、虚荣心强等。

在企业里，心直口快、原则性强的人，就是红色脸谱人选。他们注重感情，爱憎分明，与他们相处好了就是非常要好的朋友，相处不好则可能矛盾不断。他们的沟通能力常常较差，甚至不近人情。他们适合担任需要严格坚持原则的岗位。在该禁止的问题上面，他们通常能够很好地坚持。关于这一点，我们联想一下交通信号灯中的红灯，就更容易记住和理解了。

4. 黄色脸谱

黄色代表阳光，给人轻快、透明、辉煌、充满希望和活力的感觉，但同时它又给人不稳定、多变的印象。

在企业里，心态阳光、积极向上的人，是黄色脸谱的人选。他们凡事往好的方面想，受到打击后容易寻找到平衡，从而适合担任压力较大的工作。

5. 绿色脸谱

绿色是大自然中最常见的色彩，它代表着生命、创造和希望。但同时，它也隐含着原则性差、随意性强等含义。与红色相反，绿色常常代表着准许，联想一下交通信号灯中的绿灯就容易记住这一点。

在企业里，善于思考和创造的人，可以归为绿色脸谱这一类。他们适合担任创造性工作，常常处理比较棘手的问题。

6. 黑色脸谱

黑色常常带有贬义，但我们这里是讨论团队建设，要抛开这些贬义的联想。黑色是稳重的，代表着冷静与严肃。但同时，黑色也代表消极、悲观。

在企业里，循规蹈矩、谨小慎微的人通常是黑色脸谱的人选，凡事首先想到最坏。他们适合从事风险管控工作。

在新的脸谱系统之下，不仅“导演和演出团队”可以脸谱化，“演出支持团队”也可以脸谱化了。即企业里各个团队，都可以实践脸谱式团队的建设，这使得脸谱式团队具有了广泛的适用性。

六张脸谱划分起来就是三类角色，见表 3－1。

表 3－1　脸谱式团队三类角色

类别	角色	人数	职责
领导者	蓝色脸谱	1 人	对团队实施管理和控制，担任团队的核心角色
评价者	白色脸谱	1 人或数人	对团队工作进度、绩效进行控制、评价和考核
执行者	红色脸谱	1 人或数人	按照团队标准操作手册，执行团队工作
	黑色脸谱	1 人或数人	按照团队标准操作手册，执行团队工作
	黄色脸谱	1 人或数人	按照团队标准操作手册，执行团队工作
	绿色脸谱	1 人或数人	按照团队标准操作手册，执行团队工作

在六张脸谱中，蓝脸角色（领导者）处于核心地位。如图 3－1 所示。白脸角色（评价者）可以由蓝脸角色或其他色彩的角色兼任。其余色彩角色不能兼任，必须独立存在。

一般来说，最少两个人就可以组成一个团队。当团队成员少于六张脸谱时，我们保留蓝脸角色（领导者），然后再设一名执行者（根据现成人选的特征，在红脸、黄脸、绿脸、黑脸中选取一人）。团队的最佳人选是六张脸谱，这样才能最大限度发挥互补、配合和制约的效果。

那么，当团队成员超过六张脸谱时又该怎么办呢？

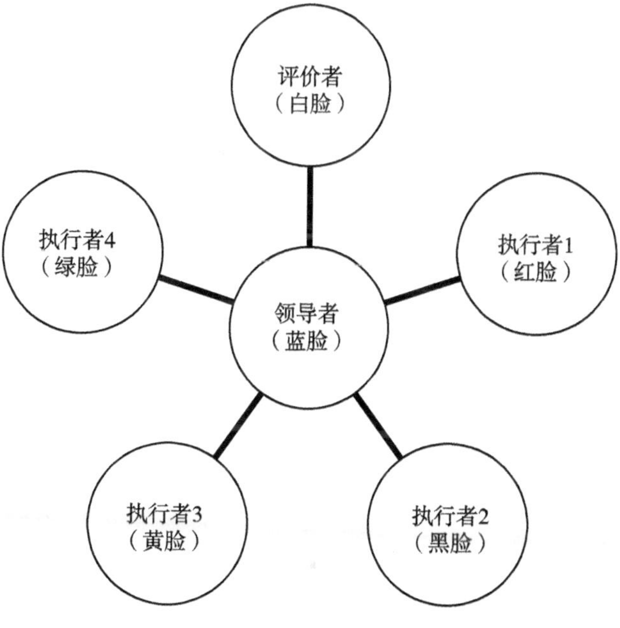

图 3-1 脸谱式团队角色图

领导者仍然只能是一个人。评价者原则上也只能是一个人，工作量特别大的话，可以设多人，命名为“白色脸谱 1”、“白色脸谱 2”、“白色脸谱 3”……执行者可以突破四个，比如，增加的是红色脸谱，则可以将红色脸谱编号，“红色脸谱 1”、“红色脸谱 2”。

同一种色彩的角色，所做的工作是一样的，只是工作量大了，多个人共同做。同一种色彩的角色作为一个小整体，不同的“小整体”之间相互配合。

3.3 三步搞定“脸谱式团队”

打造“脸谱式团队”难不难?

不难。

“团队”一词热了这么多年，却不见多少成功的团队。这不排除传统的团队建设难度较大的原因，很多管理者落实不了。我们提出“脸谱式团队”，不仅要通俗，而且要让实施难度降到最低，这样才能迅速得到推广，为众多企业提供帮助。

三步就能搞定“脸谱式团队”打造（如图 3－2）：

第一步，目标树立。

第二步，角色定位。

第三步，行动手册制定。

对这三个步骤，我们将在后面的章节中分别讲述。

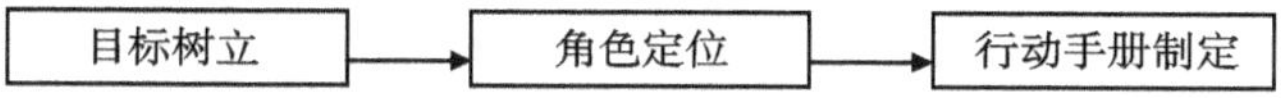

图 3－2 三步打造脸谱式团队

3.4　脸谱式团队的主要特点

1. 目标清晰

共同演好一出戏。放在企业中来说，就是齐心协力实现团队的业绩指标。

2. 角色特征外化在脸谱上

脸谱式团队的角色分为蓝色脸谱、白色脸谱、红色脸谱、黄色脸谱、绿色脸谱、黑色脸谱。每一张脸谱都有其个性特征，并且个性特征外化，不仅“演员”牢记在心，“观众”也一看就知。每一个人必须“入戏”，即进入工作状态。工作状态中，没有自我，只有“团队中的我”。

3. 严格按“剧本”行动

“剧本”就是团队的执行手册，对于部门来说，包括十项标准化内容，对于具体的岗位来说，包括十五项标准化内容。这项工作，不仅为团队提供了执行手册，也是对管理基础的一次熔炼，全面提升了管理规范化程度。

4. 无须“全才”，团队也能完美

“全才”可遇不可求，但完美的团队却是可以打造的。事实上，即使某个人真是“全才”，他在团队中也无须发挥全部的才能。团队成员之间注重的是互补互助，不鼓励个人英雄。脸谱式团队移植了川剧角色配置思想，哪怕每一个角色都不完美，组合在一起却能奉献一出完美的川剧盛宴。

5. 解决了创造性与标准化执行的矛盾

对于执行力来说，创造性是一把双刃剑。没有创造力，执行力无从谈起，很多难题无法解决，团队可能止步不前。但是，创造性又是对执行标准化的一种伤害，过分强调创造性，执行就可能走样，可能偏离方向。脸谱式团队解决了这个问题，我们提倡创造，但创造成果需要集中到“导演”那里，在创造意见被采纳并修改“剧本”之前，所有演员依然得按照旧剧本演出。

6. 解决了个性冲突与个性互补的问题

人与人的个性不是一样的，这种客观现实导致了团队内部的个性冲突。脸谱式团队倡导“开放的我”，让彼此认同与接纳，相互包容对方的个性缺陷。但在执行过程中，消灭你原来的个性，严格成为“团队中的我”。你演张飞，你就得是张飞，而不是原来的你。

同时，脸谱式团队主张性格的协调与统一，让差异化从劣势变为优势，通过互补来实现团队的和谐。

7. 三步打造团队

复杂的团队打造被简化为三步，从而实现了通俗易懂、简单易行。这三步分别是树立目标、角色定位和执行手册编写。

8. 把最适合的人放在最适合的位置上

把最适合的人放在最适合的位置上，这是脸谱式团队建设的一大原则，也是脸谱式团队追求的目标。一个人适合做什么，是由他的知识、技能和性格特质决定了的，通过科学的测试，可以确定他的长项与不足，从而使之找准位置，展示才华。

3.5 脸谱式团队建设的效果

脸谱式团队建设需要达到，也完全可以达到下列效果：

第一，每一个人都清楚团队的目标与个人的目标，个人荣誉与团队荣誉高度统一，凝聚力强，归属感强。

第二，每一个人的知识、技能和性格特质被充分认识，根据这种认识，每一个人被配置到团队中最适合的岗位上，团队效率高，业绩突出。

第三，每一个人都可以向他人学习，团队成员互补，相互配合，相互制约，相互促进，彼此认同。

第四，每一个人进入工作岗位，“戴”上“脸谱”，立即忘掉“自我”，马上进入工作状态，成为“脸谱”所对应的角色，完全融入团队，并且充满激情。

第四，每一个人都有自己的职责，每一项职责都有人承担。

第五，每一个人的行动都不折不扣按照团队行动手册约定的标准来实施，所有创造性的建议都集中到领导者那里。

第 4 章

目标——团队价值

在本章中，我们以企业为例，讲述打造脸谱式团队的第一步工作：树立团队目标。

4.1 没有目标很可怕

有一种名为“列队虫”的小昆虫，人们习惯把它们说成“跟屁虫”，其名来自于其独特的爬行方式。列队虫爬行时，通常是五只虫一起行动，首尾相接列成队伍，带头的那只负责寻找食物——桑叶，无论这带头的虫带向哪里，后面的虫都一定会跟到哪里，即使前面是火坑。

法国科学家法尔博做过一个实验。他把五只列队虫绕成首尾相接的一个圆圈——让带头那只的“首”和最后那只的“尾”实现首尾相接，从而让五只虫形成一个闭合的环，同时他在环中放了一点桑叶。此时，带头的虫也成了跟随的虫，即没有带头的虫了。科学家想知道在此情形下，列队虫的队伍会不会解散。

让人意外的是，这些盲从的虫子中，竟然没有一只离开队伍，它们一只跟着一只不停地成环形爬啊爬，饿得奄奄一息也没有想到作一些改变，自然也就没有吃到近在眼前的桑叶。当爬到第七天时，这些列队虫通通因饥饿而死。

团队目标，既是团队存在的前提，也是团队的方向和目的地，是团队力量的激发点。如果没有目标，成员们就成了“跟屁虫”，成了“有气无力”的“群体”。

以企业为例，目标包括公司目标、部门目标以及临时性专项工作小组的目标。部门目标和工作小组目标服从于公司目标，是公司目标的具体化。

有效的目标至少应具备以下四个特征：

一是可实现的，并具有挑战性。上年公司销售1亿元，今年目标定为5亿元，可实现性太低。想尽一切办法都摘不到的苹果，自然不会再有人愿意去摘它。反之，如果市场明显良好，完全可以实现1.5亿元，却把目标定为1.1亿元，则又失去了挑战性，同样会打击队伍的激情。

二是可量化。“今年销售大幅度增长”，这就不是有效的目标，因为没有量化。“今年销售增长 30%”就已经量化了。有的人常常说：“我要成为有钱人。”什么叫有钱人？这样的“目标”也是缺乏量化的。

三是有时间限制。“完成销售 1 亿元”，这样的“目标”是无效的，必须明确界定完成期限，是一个月？一季度？一年？两年？还是五年？

四是有具体的行动措施。如何保证目标实现，必须有详细的措施，缺乏措施的目标很可能流于空谈。

4.2　组织中的三类团队

不仅仅是企业，其实在所有的组织中，都有三类团队：组织层面的、部门层面的和为完成专项任务而组建的非常设团队（简称专项团队）。

组织层面的团队目标就是组织的目标，其成员由管理层构成，对组织最高决策者或机构负责。比如在一个企业里，企业层面的团队由各个部门的经理、副总经理构成，对总经理负责。部门层面的团队目标就是部门的目标，它是组织层面目标的分解和细化，该团队成员由部门员工构成，对部门最高管理者负责。专项团队的目标因项目不同而不同，其成员可能来自各个部门各个层次，该团队对专项任务的分管领导负责。

在三类团队中，部门团队数量最多，也是“有气无力”表现最突出的领域，更是我们脸谱式管理重点实施的领域。在现实当中，很多部门都只是一个“群体”。我们没必要另立团队，而应该着力于把部门这类“群体”改造为“团队”。

目标分为短期目标、中期目标和长期目标。以企业为例，企业层面的团队短期目标就是实现当年的各项经营指标，包括市场占有率、销售收入、利润、投资等。中期目标和长期目标，在企业的发展规划中可以找到，比如中期目标是三年内实现销售收入若干，进入行业排名若干名，长期目标是在十年内实现销售收入若干等等。

企业层面的团队，既要关注短期目标，也要关注中长期目标，避免出现“杀鸡取卵”等急功近利的行为。部门层面的团队和专项团队，则需要更多地关注短期目标，短期目标实现不了，谈中长期目标就失去了支撑，难免流于空谈。部门目标和专项团队目标都是可以量化的，比如某月完成多少项工作，或者在绩效考核中得到多少分等等。

4.3　团队目标与个人目标高度统一

一只青蛙待在一口小井里，一待便是好多年，除了青苔、井水、井壁和簸箕大的一块天外，它没有再见到过什么。

但青蛙却总以为自己见多识广而洋洋自得。

有一天，它终于知道了自己的浅薄，知道了自己被井外的人们嘲笑了许多年。于是，它决定到外面去生活。

可它一次又一次往外跳都没有成功，因为井太深了。它不气馁，继续跳，一次又一次，一天又一天……

它的决心感动了上天，上天不惜以一场洪灾来帮助它。

大雨倾盆而下，洪水很快淹没了很多地方，大地宛若一片汪洋，波涛翻滚。井也很快满起来了。

青蛙游出了井——就在跳到井台上的那一瞬间，它大吃一惊：世界原来是一个波涛汹涌的地方啊！

“太可怕了！太可怕了！还是井里安全，风平浪静的！”青蛙说着，“咚”地跳回了井里。

这是我早年写的一则寓言，名为《造化》。一个人造化的大小，取决于目标。你想要，才会去努力，努力了才会有收获。没有目标，就像这只青蛙一样，机会来了，也不知道，甚至感到害怕，宁愿退缩到原来的生活中去。

如果一个团队中的成员没有目标、没有追求，那么团队注定没有活力、没有执行力，团队目标就无从落实。另一方面，即使团队中的成员个个生龙活虎、野心勃勃，但如果他们的目标与团队目标不一致，甚至背道而驰，那么，这样的团队也仍然没有执行力，团队目标依然无法实现。

只有团队目标与个人目标高度统一时，团队才具有执行力。要实现这一统一，管理者需要做好两件事情：

第一，让每一个成员都清楚团队的目标是什么，并从这一目标中获取激励。

管理者必须准确、详细地告诉成员们，团队要向哪里去，从什么样的路径去，以什么方式去，到达目的地后能够得到什么回报。这里的回报，本身要具有吸引力，才可能让成员受到激励。

第二，协助团队成员树立与团队目标一致的个人目标，或者梳理已经存在的目标并适度调整，使之与团队目标一致。

没有目标的成员，可能根本没有考虑自己要什么，或者不清楚自己要什么，或者虽有一点目标但不明确。这时，管理者要帮助他们，使之树立起明确的目标。对于帮助了也树立不起目标的成员，宁可淘汰。

对于已经有目标的团队成员，管理者需要帮助他们调整。在自然状态下，将自己的目标定得与团队目标一致的成员并不多见。比如一个员工，他想在今年之内挣到 10 万元。可自己的工资加起来也就两三万元。很显然，他不会把目标放在工资上面，因为很明显是没有希望的。这时，他可能想到挣外快，或者利用上班时间偷偷地上网炒股什么的。针对这种情形，管理者应帮助其调整：和这个员工坦诚沟通，让他说出自己今年内挣 10 万元的目标，然后与他一道分析，如何去挣到这 10 万元。管理者可以设定一些工作目标，如果这些目标完成了，给予这个员工金钱奖励，让员工在工作中去实现这 10 万元的收入，他的个人目标和团队目标自然就保持一致了。如果实现工作目标获取奖金，依然达不到 10 万元呢？这种情况是比较常见的，比如只能达到 6 万元。此时管理者要和员工交流，让他首先通过现有工作获得 6 万元，然后在不影响本职工作的前提下，用业余时间以比较靠谱的正当方式去获得其余 4 万元。这样一来，个人目标也和团队目标保持一致了，又不影响个人目标的实现。

在协助团队成员调整目标时，管理者要向成员灌输团队思想，让他们明白，团队的力量大于个人的力量，把个人的目标嫁接到团队中来，实现的可能性将大大提升。

当然，有些成员的目标是根本无法与团队目标保持一致的。比如，一个员工在一家与演艺圈毫不沾边的企业上班，却计划在一定时期内成为电影明星。对这种情况，管理者应该忽视这个目标，协助员工找找其他方面的目标，比如经济方面的、工作技能方面的、人脉资源积累方面的，从而让找到的目标与团队目标保持一致。如果实在找不到，当然只有放弃这样的成员，让他专心地做明星梦去。

4.4 职业生涯规划

职业生涯规划，是帮助团队成员建立个人目标和实现个人目标与团队目标相统一的重要手段。职业生涯规划，指的是根据对自身主观条件和客观环境因素的分析，确立自己的职业生涯发展目标，选择实现这一目标的职业，以及制订相应的工作、培训和教育计划，并按照一定的时间安排，采取必要的行动实现职业生涯目标的过程。

职业生涯规划通常包括下列几个步骤：

第 1 步 自我定位

自我定位是对自己进行全面分析，充分认识自己、了解自己，准确把握自己的长处和短处，以便在职业生涯规划中做到扬长避短。

对自我进行分析的方法主要有“测试法”、“橱窗分析法”。测试法是通过专家设计的一些题目，对自己的性格、气质类型、情绪、智力、技能、记忆能力、创造能力、观察能力、应变能力、想象能力、组织管理能力、交际能力、行动能力等进行测试。这种题目在很多书籍上都能找到。我们在这里只对橱窗分析法作一个较详细的介绍。

你是一个什么样的人？这个问题回答起来是很困难的。我们对自己的认识只是一部分，别人对我们的认识也只是一部分。应用橱窗分析法进行自我分析，就是要最大限度地认识自己。

心理学家们把对一个人的了解形象化为一个橱窗，如图 4－1 所示，坐标的横轴正向表示别人知道，负向表示别人不知道；纵轴正向表示自己知道，负向表示自己不知道。橱窗被坐标分成了四个部分，分别代表“公开的我”、“隐私的我”、“潜在的我”和“背脊的我”。

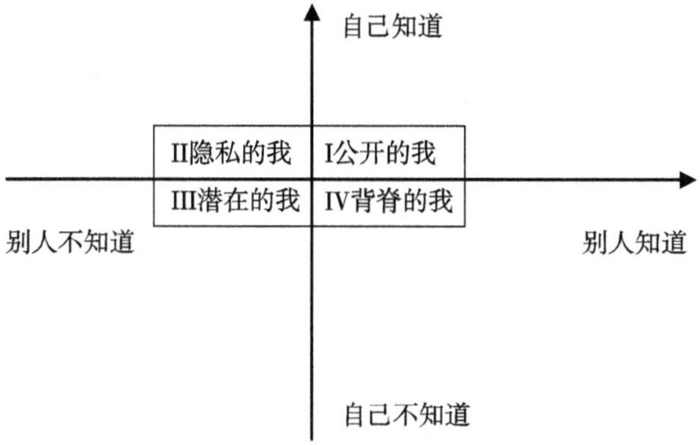

图 4－1 橱窗分析法

“公开的我”是自己知道，别人也知道的部分，属于一个人表现在外的部分，很容易被识别。

“隐私的我”是自己知道，别人不知道的部分，属于主观隐藏起来的部分。

“潜在的我”是自己不知道，别人也不知道的部分，需要进一步开发。平常所说的“潜能”就属于这一部分的因素之一。

“背脊的我”，就像自己的背一样，是别人知道，自己却不知道的部分。

应用橱窗分析法进行自我分析的目的，就是要尽可能充分地认识“潜在的我”和“背脊的我”。

“潜在的我”是影响你未来发展的重要方面。有研究表明，人类平常只发挥了极小部分的大脑功能，如果能将大脑功能发挥一半，就可以轻易地学会40种语言，背诵整套百科全书，可见人的潜能是多么巨大。现在有很多潜能开发方面的书籍，可以帮助你实现对“潜在的我”的认识。“背脊的我”也是对自己进行正确评价的重要方面，多听听别人怎么评价你。

第2步 职业机会评估

职业机会评估就是指分析内部和外部环境对自己职

业生涯发展的影响，弄清楚机会在哪里，同时弄清楚存在哪些障碍，以便你在规划中抓住机会绕开障碍。在此项评估中，你要重点考虑自己所在的组织的环境、发展战略、人力资源结构和需求、发展空间、晋升机会等。

第 3 步　生涯目标和路线的设定

目标决定着你的方向，没有目标的人永远也别想成功。目标是职业规划的出发点，同时也是促使一个人去实施规划的巨大动力。

你 20 岁时要成为一个什么样的人？你 25 岁时要取得哪些成就？你 30 岁时要获得哪些突破？……头脑中必须有这些问题的答案，你才可能去努力，才能获取敬业、勤奋的动力，因为敬业、勤奋可以使你成为你想成为的人。

目标规划应该注意以下几点：

一是这一目标必须建立在自己的最佳才能、最优性格、最大兴趣、最大优势和最有利的内外条件之上。

二是你的职业目标，必须是你所在的组织需要的、倡导的，必须和组织发展方向和组织利益保持一致，才可能得到组织的支持并获取组织的回报。

三是目标必须切实可行，不能搞空中楼阁。

四是目标不要太多太宽泛，这样才能集中你的精力、能力和智慧，在某一方面取得超过他人的突破，而目标太多的结果则可能造成你什么都会一点但却什么都做不好做不精，这种人属“万金油”，不容易丢饭碗，但也绝对不可能受到重用。

五是目标要具体，要能够量化。

六是个人职业目标应该与家庭目标一致，与个人健康目标一致，家庭是你的支撑，健康是你奋斗的基础。

七是注意长期目标、中期目标和短期目标的有机结合。

职业生涯路线是指以什么途径去实现你的人生目标。在规划路线时，你需要思考三个问题：你希望通过什么路线去实现生涯目标？你适合通过什么路线去实现生涯目标？你的组织能够给你提供什么样的路线让你实现生涯目标？

无论在什么样的组织里，实现生涯目标的途径通常主要有两条：行政路线和技术路线，两条路线合并在一起恰好是一个代表着胜利的字母“V”，如图 4－2 所示。你可以选择其中一条，也可以两条并举。

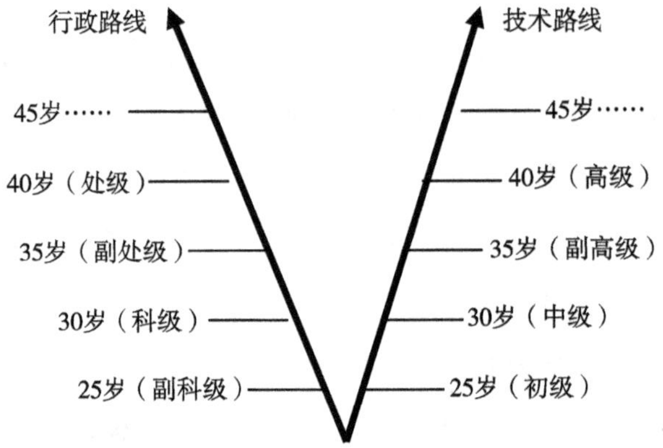

图 4－2　职业生涯路线图

第 4 步　职业生涯策略制定和实施

在确定了职业目标、路线后，需要制定和实施一系列的策略来保证目标的实现，比如：如何提高自己的综合素质，如何提高自己的技能，如何弥补自己的弱项，如何创造晋升的机会。

第 5 步　反馈与修正

在做职业生涯规划的时候，你不可能对未来外部情况了如指掌，对自己的潜在的一些能力也可能了解不够深入，这就需要在实施中不断根据反馈进行规划修正，使之更符合当时的客观环境。职业的重新选择、实现目标的时限的调整、职业路线的重新选择，以及目标本身的修正，都属于修正范畴。

上述 5 个步骤可以用流程图 4－3 表示。

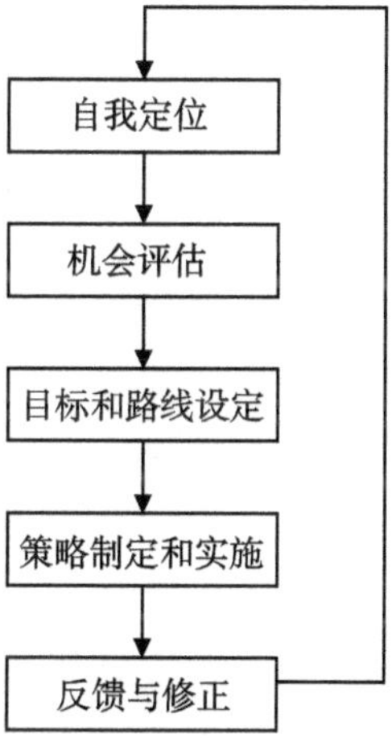

图 4－3 职业生涯规划步骤

4.5　目的

树立团队目标，并让个人目标与团队目标保持一致，可以实现“四个统一”：统一思想、统一认识、统一方向和统一力量。

在“四个统一”之下，每一个团队成员都知道自己要追求什么，怎样去追求，并会发自内心地认为“这是我的目标，这是我的工作，这是我所要的”。这种状态就已经像艺术家的工作状态了，为自己工作，忘我地工作。

第 5 章

脸谱——角色定位

团队成员必须个个精挑细选，成员之间具有互补性。除了精挑细选，还要准确定位，根据每一个人的特点把他放在最适合的位置上。

5.1 定位决定未来

团队建设，绝对不是招几个人让他们一起工作那么简单。团队成员必须个个精挑细选，成员之间具有互补性。虽没有完美的个人，却可以造就完美的团队，成员相互弥补不足，最后不足就不再存在。

除了精挑细选，还要准确定位，根据每一个人的特点把他放在最适合的位置上。定位决定团队的未来，也决定着个人的未来。

早晨，一只山羊在栅栏外徘徊，想吃栅栏内的白菜，可是进不去。

它看见了自己的影子——因为太阳是斜照的，影子拖得很长很长。

“我如此高大，一定能吃到树上的果子，不吃这白菜又有什么关系呢?”它对自己说。

它奔向很远处的一片果园。

还没到达果园，已是正午，太阳当头。这时，山羊的影子变成了很小的一团。

“唉，我这么矮小，是吃不到树上的果子的，还是回去吃白菜吧。”它对自己说，片刻又十分自信地说，“凭我这身材，钻进栅栏是没有问题的。”

于是，它往回奔跑。

跑到栅栏外时，太阳已经偏西，它的影子重新变得很长很长。

“我干吗回来呢?”山羊很惊讶，“凭我这么高大的个子，吃树上的果子是一点也不费劲的!”

这是我早年写的一篇名为《影子》的寓言。我相信，一个缺乏正确定位的人，就如同这只山羊一样，忙忙碌碌，却一事无成。作为管理者，你不仅要对企业负责，还要对你的员工负责，对他们的前途负责。

5.2 蓝色脸谱

在本书第3章中，我们简单介绍了各种色彩的含义和各色脸谱人员适应的主要工作。现将其进行概括，具体见表5-1，以便下一步对照着讲述。

表5-1 各色含义及脸谱个性

色彩	色彩正面含义	色彩负面含义	人员正面个性	人员负面个性	适合的工作
蓝色及蓝色脸谱	勇气、冷静、理智、准确、永不言弃	忧郁	沉稳	死板	团队管理者
白色及白色脸谱	公正、客观、纯洁、端庄、正直	单调、乏味	重数据和事实	缺少人情味	团队控制、评价与考核人员
红色及红色脸谱	吉祥、喜气、热烈、奔放、激情、斗志	攻击性、肆意行动、不满、性急、不沉着、虚荣心强	心直口快，原则性强，重感情，爱憎分明	沟通能力弱	需要坚持原则的工作
黄色及黄色脸谱	轻快、透明、辉煌、充满希望和活力	不稳定、多变	心态阳光，积极向上	不稳定	压力较大的工作
绿色及绿色脸谱	生命、创造和希望	原则性差，随意性强	善于思考和创造	持久性不足	创造性的、有挑战性的工作
黑色及黑色脸谱	冷静与严肃	消极、悲观	循规蹈矩，重视风险	谨小慎微，悲观	风险管控

我们先从蓝色脸谱开始讲述。在表 5－1 中，我们已经清晰地看到了蓝色脸谱的个性和所适合的工作。作为团队的管理者，我们对这一角色的要求不仅仅是“适合”，而更需要他履行相应的职责。

1. 授权

蓝色脸谱是团队的核心，是“导演”，他必须具备一定的权力。比如，在财务部门，蓝色脸谱可以是部门副经理，可以是核算主管，可以是主办会计。财务经理应该授予他一定的权力，以便他处理团队事务和管理团队。

一旦定位为蓝色脸谱，被授予的权力就不能再往下授权，必须亲自行使这些权力。在行使权力过程中，蓝色脸谱接受独立于团队之外的授权者监督。遇到问题时，亦需要向授权者报告。

2. 总揽团队大局

蓝色脸谱肩负着团队管理重担，必须具备管理能力和全局意识。

团队的工作计划、资源争取和配置、人员关系的协调、团队外部沟通与协调、团队工作进度控制、团队会议组织，这些工作都需要蓝色脸谱来承担。

蓝色脸谱同时是团队信息的集散地和传递通道。团队中有什么需要向上汇报的，由这一角色来集中上报；上级领导有什么指示，也通过这一角色来传达。

蓝色脸谱有权参与团队行动手册——“剧本”的编写，因为他可能比“编剧”更熟悉自己所在团队的工作情况。在执行任务过程中，蓝色脸谱需要收集团队成员的意见，如果涉及创造性，而且是有利于团队工作又不需要修改行动手册的，可以直接采纳；如果涉及需要修改行动手册的，通常需要报告上级领导和“编剧”。对于不按行动手册行动，或者擅自修改行动手册的成员，蓝色脸谱有权给予处罚。

3. 多发挥白色脸谱与黑色脸谱的作用

通过互补，达到知识、技能、个性的完美或不断接近完美，是团队建设的重要意义，也是它区别于“群体”的重要特征之一。

蓝色脸谱综合能力强，技能全面，管理能力强，但这并不表明他必须是“全才”。他在从事具体工作方面，可能远远不如其他脸谱角色。

在脸谱式团队中，白、红、黄、绿、黑五个脸谱角色都可以弥补蓝色脸谱的不足，蓝色脸谱也弥补着这些角色的不足。比如，蓝色脸谱可能在某个专业领域里算不上权威，得靠其他几个角色；而其他几个角色在从外部或上层争取团队资源方面，可能都搞不定，必须靠蓝色脸谱去完成。这种相互弥补的关系如图 5－1 所示。

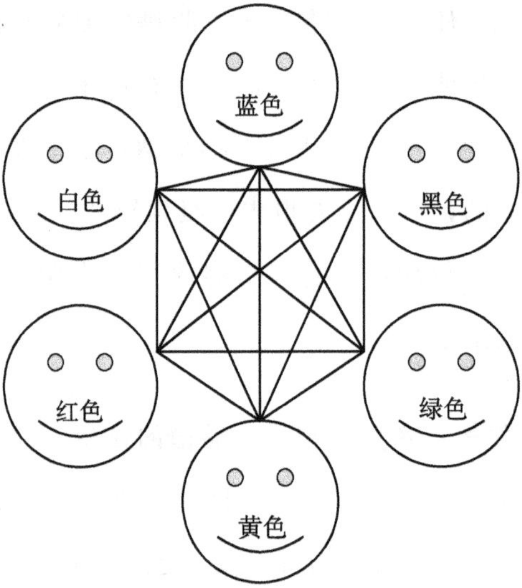

图 5－1 六色脸谱的互补关系图

相比较而言，白色脸谱和黑色脸谱两个角色更多地担负着“导演助理”的任务，对蓝色脸谱的管理支持要多一些。其余三个角色则更多地在执行专业事务方面提供支持。蓝色脸谱要想总揽团队大局，就必须多发挥白色脸谱和黑色脸谱的作用——白色脸谱提供数据分析和评价，供蓝色脸谱决策参考；黑色脸谱进行风险控制，可以减少蓝色脸谱决策失误和避免团队方向走偏。这三个角色的关系如图5-2所示。

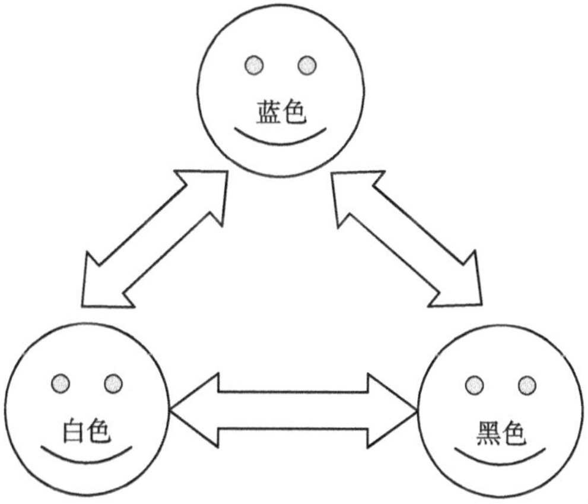

图5-2 蓝、白、黑三色脸谱形成的支持关系

5.3 白色脸谱

从表5-1中我们清楚地了解到了白色的含义，以及白色脸谱的个性特征和适合的工作岗位。

1. 一项十分重要的工作

在规模较小的团队中，分析、评价与考核工作，可以由蓝色脸谱兼任，也可以由其他角色兼任。但这并不表明这一工作不重要，相反，它其实是非常重要的。一个团队的工作做得怎么样，有些是可以直接感知到的，有些却需要经过数据分析，才能准确认知。缺少分析和评价的团队，就像在黑夜中行走，走了多远，离目标还有多长的路程，都是茫然的。

作为统领全局的蓝色脸谱，在进行团队工作职责划分时，一定不能忽视这项工作。在现实工作中，有很多团队在接受外部考核时才发现自己离目标还很远，这时再补救为时已晚。白色脸谱所履行的分析、评价、控制职责，是团队自身管理的需要，这些工作的重要性绝对不亚于外部考核。

2. 开放的“我”与团队中的“我”

有一天，狐狸对狮子大王说，如今是21世纪了，人才要全面发展，我们必须组建学习型组织，让丛林里的每一个动物都成为复合型人才。

狮子觉得这一建议很有价值，在给狐狸发放了建议奖之后，马上成立了动物培训学校，狮王担任名誉校长。

这本来是一件好事，可是教授们都把“复合型人才”理解成了“各方面优秀的人才”。于是，他们要求所有动物都必须会飞翔、会游泳、会长跑、会爬树、会举重。

在开学之初，每一种动物都参加了摸底考试，以测试长项和弱项，进而因人施教。

第一期培训范围包括鸭子、兔子和大象。

鸭子的长项是游泳，飞翔会一点，但不强，弱项是长跑、爬树、举重，于是，教授重点教它们长跑、爬树和举重。兔子跑步是长项，弱项是游泳、爬树、飞翔、举重。教授于是重点教它们游泳、爬树、飞翔和举重。大象举重是长项，跑步也还行，但游泳、爬树、飞翔都不行。于是，教授针对它们的情况，重点培训后三项。

三种动物都进入封闭式训练。

半年过去了。

半年的培训非但没有取得成绩，反倒酿成了一场悲剧：有五十只鸭子、二十只兔子在举重中丧生，有六十只兔子被水淹死，有八十头大象在悬崖边练习飞翔时摔死。而那些没有死，并且领到结业证书的也出了问题：鸭子失去了游泳的本领，兔子不知道如何跑步了，大象忘记了怎样举起重物。

这则我早年写的寓言，名为《丛林的一次人才培训》。世间无全才，也无完人。我们选择团队成员、培育团队成员，都不是奔着“完美”两个字去的。我们要的，是最适合的人才，并且把他们配置在最适合的岗位上。

川剧在角色的配置上面，就充分体现了这一人才配置思想。每一名演员，都努力演好自己的角色，在自己的角色中发挥到极致。比如“变脸”，它本身只是川剧中的一项特技，它将人物内心的情感起伏外化在脸谱上。因为演到了极致，这一特技的重要地位开始凸现，早就已经可以单独表演了。但不可否认，即便是顶级的变脸大师，也不是全才，对于川剧中其他角色的表演，他可能连入门级的水平也达不到。然而，这丝毫不影响他在变脸特技领域的大师级地位。

无论是独立于团队之外的管理者，还是团队核心角色蓝色脸谱，都必须认识到：缺点不可怕，可怕的是没有突出的优点，那种样样都懂一点，门门都会一点的人，可能胜任不了任何工作。在知识、技能选拔过程中，我们重点要做好三个方面的工作：

第一，着眼于成员“会做什么”，不要着眼于“不会做什么”。

当一个新团队组建，或者一个新的成员加入已经存在的团队时，我们必须让每一个成员充分认识到：我们中的每一个人，都是“我们”不可分割的一部分，每一个人都有他“会做”的事情。这种意识，有助于团队成员的相互认同和接纳，进而和谐地开展工作。

成员“不会做什么”也需要明明白白地让大家相互知道。不会做，并不是耻辱——我不会的，你会就行了，你不会的，我会就行了，你我都不会的，他会就行了，“你”、“我”、“他”加起来，就什么都会了。

团队成员之间必须相互尊重，看到对方的长处，并主动去学习别人的优点，这样一来，团队才可能有强大的凝聚力和学习力。

第二，在个性方面，促使员工打开心扉，做一个“开放的我”。

人上一百，形形色色。人与人个性不同才是正常的，如果大家都一个性格，倒可能是一场灾难。独立于团队之外的管理者，或者蓝色脸谱当着团队成员的面，剖析某一个成员的个性优劣是不合适的，这样做很容易伤及该成员的自尊。恰当的做法是营造一种开放自我的氛围，或者搞一次轻松的活动，让每一个成员主动剖析自己，向大家介绍自己性格中的正面和负面。

当然，作为管理者或蓝色脸谱，可以提供帮助，比如为大家提供一些专业的测试性格的材料，让他们对自己的认识更为深刻和准确。

“他不善于沟通。”如果我们这样评价某个人，即使这个人真的一点也不善于沟通，他也无法接受我们的评价，甚至闹得很不愉快。

“唉，他这人咋这么难以沟通啊!”这话通常是团队成员在工作中发现某个人难以沟通时，私底下发出的议论。这种议论无助于那个人提升沟通能力，倒极可能让大家从此不愿意再和那个人打交道。这种不打交道的情形一旦出现，团队的协调能力也就宣告丧失了。

“我这人沟通能力弱一些，希望大家多多理解我，支持我，帮助我!”如果一个不善于沟通的人，在剖析自己时，主动向大家开放自己，说出自己的缺点，在接下来的日子里，大家就真的会理解他，支持他，帮助他，甚至不再认为这是他的一个缺点。

实践证明，当自我开放、主动剖析自己、主动列示自己的缺点形成一种氛围时，团队成员之间会达到一种亲如兄弟姐妹的氛围。他们会如此接纳和解释别人的缺点：“白色脸谱‘缺少人情味’吗？不，他只是比较内秀而已，不善于表达自己的情感；他‘单调’、‘乏味’吗？不，人家是活得深刻，不肤浅啊！”

第三，让每一个成员做“团队中的我”。

剖析了自己，向大家介绍了自己的缺点，这些缺点还得到了大家的理解和宽容。但是，我们不能因此就放任自己的这些缺点。

脸谱式团队非常强调“团队中的我”。即“剧本”一旦定稿，在工作时间内，你就是剧本中的人物，而不再是你自己了。不管你是张三还是李四，一旦你戴上张飞的脸谱，你就得是张飞，戴上曹操的脸谱，你就得是曹操，你必须完完全全忘掉自己原来是谁。

脸谱式团队，消灭角色生活中的个性，表现角色团队中的个性。比如白色脸谱，要竭力张扬白色的正面含义，极力抑制白色的负面含义。在工作状态下，不能再有“原来的我”。

3. 客观

客观，是对白色脸谱工作最基本的要求。担负分析、评价和考核工作，所采用的一切事实和数据，都必须有真实的来源，不能掺杂主观判断。通俗地说，你只需要把你收集到的事实和数据，使用大家认可的逻辑分析和计算公式，得出量化的结论就行了。

“根据数据统计，3 月份销量比 2 月份增长了 10%，4 月份比 3 月份增长了 15%，5 月份又比 4 月份增长了 20%。我们这三个月的增长是比较明显的。”这是大家容易接受的分析。

“从这几个月的销售来看，我们是优秀的，也是公司里面做得最好的。”这样的“分析”就不具备说服力，因为你的主观判断也许是错误的，你没有列出其他团队的业绩，当然不能就此说自己是做得最好的。

白色脸谱的分析、评价，相当于夜行团队的“手电筒”，客观性决定了手电筒存在的价值。

4. 中立

中立，是对白色脸谱工作的另一个重要的要求。白色脸谱所做的分析、评价、考核和控制建议，必须是不偏不倚的，不倾向于任何角色，包括不倾向于核心成员蓝色脸谱。

白色脸谱的工作出现主观倾向，通常有两种原因：一是白色脸谱个人情感所致，比如喜欢某些人，讨厌某些人；二是出于帮助某些角色达成个人目的，这些目的有可能并不光彩。如果出现这两种情形，白色脸谱极有可能失去信任，他的工作将无法继续开展下去。

白色脸谱可以提出自己的判断、意见和建议，但这些都只能代表自己个人，只能以“团队成员之一”的身份来提出，而不能说成是“分析的结果”，不能强加为整个团队的表现。

白色脸谱应该更多地听取他人的判断、意见和建议，但在这里，他担负的责任也只是收集和整理这些判断、意见和建议，然后转给蓝色脸谱，而不能擅自对这些判断、意见和建议进行修改或粉饰。

5.4　红色脸谱

在现实工作中，红色脸谱常常是团队中的活跃分子，有他们在，团队不沉闷，团队文化活动丰富多彩。就这一个方面而言，他们深受欢迎。但是，他们喜欢张扬自我个性，甚至我行我素，又常常会得罪人，成为一部分人讨厌的对象。

我用“玫瑰花”来形容红色脸谱成员，他们美丽、热情、奔放，但他们有刺，一不小心就刺你一下。但是，大家千万别忘了，玫瑰有刺，那是天生的，它也不想刺人啊，可天生有刺没办法。

从表 5-1 中我们清晰地看到了红色脸谱的正面和负面，以及适合的工作，如果某个环节需要坚持原则，把他们放在那里是最适合不过的了。

1. 管理者和蓝色脸谱的工作

在前文讲述“白色脸谱”时，我们提到独立于团队之外的管理者和总揽团队全局的蓝色脸谱有三项重要的工作，依然适用于红色脸谱：

第一，着眼于成员“会做什么”，不要着眼于“不会做什么”。

第二，在个性方面，促使员工打开心扉，做一个“开放的我”。

第三，让每一个成员做“团队中的我”。

我们在进行团队研究过程中发现，红色脸谱人前热情奔放，人后也有无尽的苦恼。他们为人很感性率真，不圆滑，不善于沟通，常常造成交际困难，甚至深陷孤立状态。我们要做的，就是让大家重视、尊重和接纳红色脸谱，让大家着眼于他们“会做什么”，让红色脸谱做一个“开放的我”，并成功地做一个“团队中的我”。

很多人都有这样的经验或经历：我们不知道某一个人心直口快、为人单纯率直时，如果因为一些细节言行伤及了我们，我们可能讨厌他，甚至怀恨在心；但是，如果当我们知道这个人个性特征天生就是这样的，并不是他后天学成了坏人，我们就会原谅他，对他的宽容度甚至超乎对其他人。在脸谱式团队建设中，我们就是要让团队成员认识到，红色脸谱并不是坏人，只是性格使然，大家要多多包容他。

2. 鲶鱼效应

我们说白色脸谱很重要，那么，一个热情奔放但又带刺的红色脸谱重要吗？当然也是很重要的。关键在于我们是否善于用好这一角色，让他成为团队中的积极力量。

沙丁鱼是欧洲人饭桌上的一道必不可少的美味，但在过去的远洋运输中，沙丁鱼经常会在运输途中死亡。死鱼吃起来的味道就大打折扣了，所以沙丁鱼的价格也就大大降低，鱼商们为此蒙受着巨大的损失。

有一次，一位船长在无意中发现了一个绝妙的解决办法。在一次运输中，由于鱼槽数量不足，船长将生性好动的鲶鱼与沙丁鱼放在一个鱼槽中。待船到达目的地时，船长惊奇地发现，沙丁鱼竟然一条都没死。

原来，这完全是鲶鱼的功劳。

由于鲶鱼生性好动，它们东游西窜，带起无数争端，本来喜欢静的沙丁鱼再也不能安静了，它们见到这异常的同类很畏惧，生怕被它们吃掉，便一改懒得游动的习性而紧张地快速游动，一舱水搞活了，待船到岸边时，这些沙丁鱼一条条都还是活蹦乱跳的。

我们可以把团队中其他成员比作沙丁鱼，而将红色脸谱比作鲶鱼，正是因为红色脸谱的存在，团队才具有持续的活力。

当然，凡事都有一个度。不能因为红色脸谱有“搅和局面”的作用，就放任他的“刺”疯长。我们要把握好分寸，让红色脸谱从正面去发挥作用，要用奔放的热情去暖场子，而不是用刺到处扎人。

同时还需要让其他成员认识到，我们不怕带刺的伙伴存在，他其实有一颗非常善良的心，我们要帮助他克服他的“刺”，万一不小心刺着我们了，我们不要放在心上，因为他不是故意的。有些管理者或者蓝色脸谱，一碰到带刺的成员就不喜欢，甚至排挤或清除，这样做往往起到了消极的示范作用，其余团队成员也跟着不喜欢，跟着扬起铁铲清除。

3. 原则≠权力

对于红色脸谱，在促进他做“团队中的我”，克服自身不足的同时，还要强调一点：原则不等于权力。

有很多员工，他们担负着原则性很强的工作，无意中就把这项工作视为权力了，进而有意识或无意识地高高在上，弄得大家都讨厌他。比如企业中的出纳，就分工而言只是一个普通的岗位，但因为他管着钱，企业上上下下的钱都要从他那里过，他因此潜意识中认为自己“大权在握”，忽视了自己本身是为他人服务的，进而缺乏服务意识，甚至态度恶劣，搞得大家都怕他、讨厌他。

我就见过一位总经理助理，他负责一项通常被认为是得罪人的工作：执行全公司上上下下的处罚。他手中有很多“原则”，而且他也真正坚持了原则。但是，大家非但不讨厌他，反而十分喜欢他。因为他不高高在上，他善于解释和沟通，他让大家深刻地意识到，他做的工作和大家的工作本质上是一样的，只是分工不同而已。于是，当他坚持原则的时候，大家都觉得“理所当然”。他执行处罚时，一定会让被处罚者充分认识到自己的错误在哪里，于是，即使挨罚的人，也觉得“很舒服”，甚至“很惭愧”。

当你让大家都觉得你坚持着的原则，是维护大家的秩序的一种常规工作，而不是卡人整人的“权力”时，你受欢迎的程度就会大大提高。对于其他成员，管理者或蓝色脸谱应该多与之交流，让他们认识到，如果没有原则性，大家就失去了良好的环境和秩序，谁的工作都将无法好好地开展。

5.5 黄色脸谱

表 5－1 清晰地告诉我们，黄色脸谱积极向上，抗压

能力强，他们是种子，即使被压在石头下面，也可以发出芽，长出苗，开出花，结出果。黄色脸谱积极的心态可以感染很多人。乐观有助于业绩提升，有助于克服困难，有助于执行力强化。

1. 让太阳每天升起

团队中积极向上的心态值得不断强化，从而让整个团队充满成功的欲望。事实证明，成功的欲望越强烈，成功的可能性就越大。对待黄色脸谱积极向上的一面，要像对待太阳一样，让它每天升起来，让它的光芒普照整个团队。

在实践中，我们是这样做的：每天早会上，要求团队成员提出至少三个积极的想法或目标，这些想法或目标可以是工作范畴的，也可以是生活范畴的。今天的订单将比昨天多两成；今天我一定能够得到同事的赞许；今天我能够找到解决统计数据杂乱无章的方法；我今天的目标是处理完所有的人事档案，而且一定能；今天我要给父亲打个电话，他一定很高兴；今天我的包裹该到了，那是多么漂亮的一件衣服啊……这些都是可以的。提出这些想法或目标，并不表明它们就一定能够实现，但提出想法和目标可以引导我们的正面思考。坏事你老是惦它着，它就会发生；好事情也是这样，你老是惦记着，它也会让你如愿。

当然，管理者或者蓝色脸谱的三项工作依然不可缺少：

第一，着眼于成员“会做什么”，不要着眼于“不会做什么”。

第二，在个性方面，促使员工打开心扉，做一个“开放的我”。

第三，让每一个成员做“团队中的我”。

2. **关注**

我们已经知道，黄色脸谱积极向上，适合从事压力较大的工作。但我们不能因此就减少对他们的关注——事实上，每一个成员都是希望经常被关注的。被关注，就如同植物被阳光普照，被雨水浇灌一样重要。长时间不受关注，黄色脸谱也会很失落，甚至陷入“有气无力”的状态。

如何关注团队成员？我们在《“轻模式”03：风筝式督导》中有较为详细的讲述，保持适当的关注频率，既不让员工产生压力，又不让员工产生距离。在该书中，还提供了“关心下属计划表”，可以据此有计划地关心下属。

人是有感情的。在一个团队中，核心成员的肯定，往往左右着其他成员的激情。我们在关注团队成员时，需要一视同仁，切不能因为某些成员抗压能力弱就多多关照，而对抗压能力强的成员就很少关注。

团队有业绩压力，这种压力最终要分散到各个团队成员身上。在“分压”过程中，除了考虑抗压能力外，还要考虑各色脸谱的工作性质，有的工作本身应该承受较多的压力，而有的工作本身不必承受较多的压力。另外，内部压力和外部压力也是不一样的，比如同在人力资源部，社保风险压力属于外部压力，员工招聘属于内部压力，显然外部压力重于内部压力。

3. 黄色脸谱需要克服的弱点

黄色脸谱的乐观容易感染他人，但也常常遭到质疑：“你说得这么好，自己能坚持多久？别三分钟热情。”

黄色脸谱的确给人不稳定的印象，他们乐观，喜欢探索新的领域，常常放弃昨天还持乐观前景的事情。黄色脸谱要克服的第一个弱点就是不稳定。

他们要克服的第二个弱点是盲目乐观。乐观的人具有煽动性，但遇到冷静的人，会在听他们口若悬河之际寻找他们话语或逻辑中的破绽，进而重拳打击。

盲目乐观实际上是一种愚蠢。可惜的是，盲目乐观的人常常不知道自己有多愚蠢。比如天天购买体育彩票的人，总认为自己一定可以中大奖，但在客观的人看来，他们的自信是愚蠢的、病态的。决策者盲目乐观，常常导致错误决策；执行者盲目乐观，常常坐失良机。黄色脸谱在描绘自己认为的美好前景时，最好列举事实和数据，必要时，可以请善于用数据和事实说话的白色脸谱协助。

黄色脸谱要克服的第三个弱点是落实。豪情万丈的人，常常是看得见未来却看不见眼前，知道未来怎么做却不知道如何迈开今天的第一步，知道长远规划却做不出当下的计划。有未来没眼下，怎么可能落实呢？万丈高楼平地起，第一块砖在哪里？千里之行，始于脚下，没有第一步，如何到得了远方？

在将豪情化作实际行动方面，黄色脸谱应该多找绿色脸谱协助。如果自己意识到风险，却把握不准时，可以找黑色脸谱协助。当自己坚信某种目标可以实现，却又感觉气场不足、感染力不强时，可以找红色脸谱协助。

黄色脸谱的“不稳定”是缺点，但在与其他角色互动中却又成了优点。这一优点让他们较为容易认同其他角色的建议。他们从其他角色处得到协助的情况十分普遍，如图5－3所示。

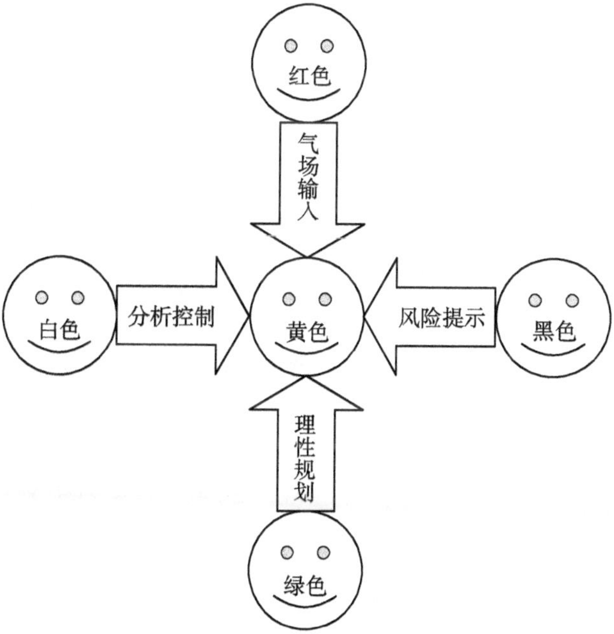

图5－3 白、黑、红、绿四色脸谱对黄色脸谱的支持

5.6 绿色脸谱

如果有一个团队成员向你提出炸掉月球，让地球的角度不再倾斜，“竖着”围绕太阳转，南北半球均匀地接受太阳照耀，从而不再有冬天。提出这一想法的，通常是绿色脸谱。从表 5－1 中我们清晰地看到，绿色脸谱是富有创意的角色。

1. 与黄色相似但不相同

绿色与红色之间，有一个过渡色，它是黄色。交通信号灯就把黄灯设置在绿灯与红灯之间。黄色本身就是红色与绿色的混合色。

绿色脸谱与黄色脸谱有相似之处，两者都拥有乐观心态。但两者的乐观是有差别的，绿色的乐观更为理智，黄色的乐观则偏向情绪的自然流露。绿色的乐观推动探索，强化着好奇心，进而促成了创造；黄色的乐观则更多属于单纯的“往好的方面看”。

黄色脸谱抗压能力强，绿色脸谱在这方面却表现得较弱。富有创造性的人，脑子里天马行空，一个又一个创意接连产生，但很多好的创意并没有转化为生产力，因为绿色脸谱的人一旦想到实施创意的难度时，就可能放弃。有时候，甚至算不上困难，只是麻烦一点，比如组织实施创意所需要的资源必须跨多个团队，他们就可能会觉得烦琐，从而放弃。

本来，绿色代表着生命，更适合“种子压在石头下也能发芽”这一美誉，但在脸谱式团队中，我们把这种美誉给了黄色脸谱。不过，绿色脸谱也有其优势，他们不是把石头拱翻，而是芽儿绕着弯爬出来——这是创造性带来的成功。

2. 别怕想法怪，越怪越值钱

绿色脸谱常常提出一些匪夷所思的想法，对此，管理者或蓝色脸谱不应该担心，反倒应该给予鼓励。同时，还要在团队中倡导提出奇怪想法的氛围，任何人不得打击和嘲笑这些想法。这一点，和头脑风暴的要求是一致的。

一个团队如果没有创造性，想要取得优秀的业绩基本上是不可能的。尤其是面对疑难问题时，创意既是工具更是武器。在很多时候，表面上越奇怪的想法，却越可能是最有价值的创意。

在这里，我要再次强调：创造性需要集中到蓝色脸谱——“导演”那里，“导演”与“编剧”研究决定是否修改“剧本”。在“剧本”被修改出来之前，每一个“演员”依然得按照原来的“剧本”演出。

绿色脸谱需要克服原则性、持久性不强的弱点。前者应多向红色脸谱学习，后者应多向蓝色脸谱学习。在面对创意实施困惑时，多向白色脸谱学习其分析能力。绿色脸谱与这几个脸谱之间的关系如图 5－4 所示。

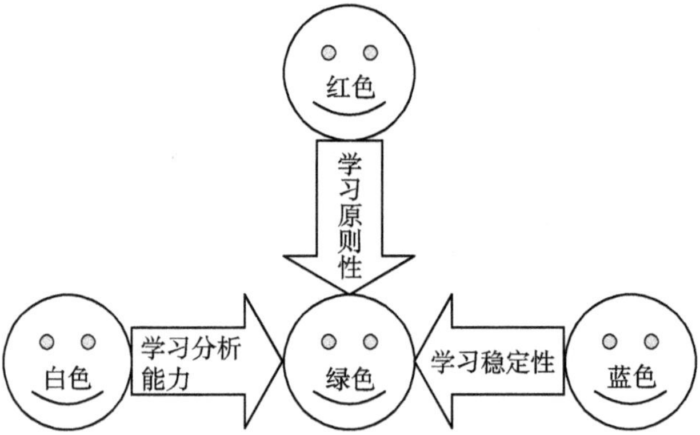

图 5－4 绿色脸谱的主要学习对象

3. 建立创意库和创意奖

保持团队持久的创造性，不仅要发挥绿色脸谱的作用，更要调动起全体成员的创造激情。蓝色脸谱必须担负起把创意管理制度化的责任。

首先是建立创意库。创意不是我们采纳了当时认为有价值的，其余的就丢掉。而应该建立创意库，将所有的创意都存储起来。当下认为没有价值的创意，可能未来会发现其价值，在这个项目上没有价值的创意，在别的项目上也许价值不菲。

其次，设立创意奖。有的企业称之为“提案奖”或“合理化建议奖”，本质上都是一样的，目的是鼓励创造发明。新技术新材料常常会带来成本的下降或质量的提升，或者获得新的使用价值，有着直接的经济效益。

显然，针对其他脸谱的三项工作，对绿色脸谱也必不可少：

第一，着眼于成员“会做什么”，不要着眼于“不会做什么”。

第二，在个性方面，促使员工打开心扉，做一个“开放的我”。

第三，让每一个成员做“团队中的我”。

5.7 黑色脸谱

1. 风险管控的价值

在传统文化中，黑色是不受欢迎的色彩。在团队管理中，风险管控也不怎么受欢迎。有的成员很想促成某件事情，甚至不惜掺入个人情感或拉帮结派，以增加“过关”概率。在此时，如果黑色脸谱提示风险，事情就可能被搁置或延期，那个想促成事情的成员就可能受打击甚至怀恨在心。

但是，我们不能否认风险提示的重要性。黑色脸谱所履行的职责，其重要意义丝毫不亚于另外五个角色中的任何一个。我们每天都面临着风险，不规避风险，丧生的概率会大大提升。团队工作也随时面临风险，虽然很多都算不上灭顶之灾，但足以对团队的业绩产生影响。

独立于团队之外的管理者，有义务通过下列三项工作的实施，让大家认可、接纳黑色脸谱，同时让黑色脸谱多展示正面的价值，减少盲目的悲观和消极：

第一，着眼于成员“会做什么”，不要着眼于“不会做什么”。

第二，在个性方面，促使员工打开心扉，做一个“开放的我”。

第三，让每一个成员做“团队中的我”。

在战略管理工具中，有一个重要的工具叫“SWOT分析”。S 代表优势，W 代表劣势，O 代表机会，T 代表威胁。通常，绿色脸谱、黄色脸谱、红色脸谱更多地关注 S 和 O，较少关注 W 和 T。这时，往往是黑色脸谱提醒大家注意 W 和 T。在这种极端情形下，三个脸谱对一个脸谱，如果论口舌之争，黑色脸谱自然处于下风。

好在脸谱式团队成员之间是相互协调与配合，又同时相互制约的。这时，白色脸谱必须发挥其分析能力，蓝色脸谱必须发挥其判断能力并运用其决策权力。如果白色脸谱的客观分析证明风险的确存在，蓝色脸谱以专业知识和经验判断，提出自己的意见后，所有成员都应该服从蓝色脸谱的决定。这几个脸谱就 SWOT 的协作与制约关系如图 5－5 所示。

2. 不要一味地否定别人

我们在团队建设实践中发现，黑色脸谱容易出现一种不好的倾向：习惯性地否定别人。

谨慎是一种优点，但谨慎过度就是缺点了。消极悲

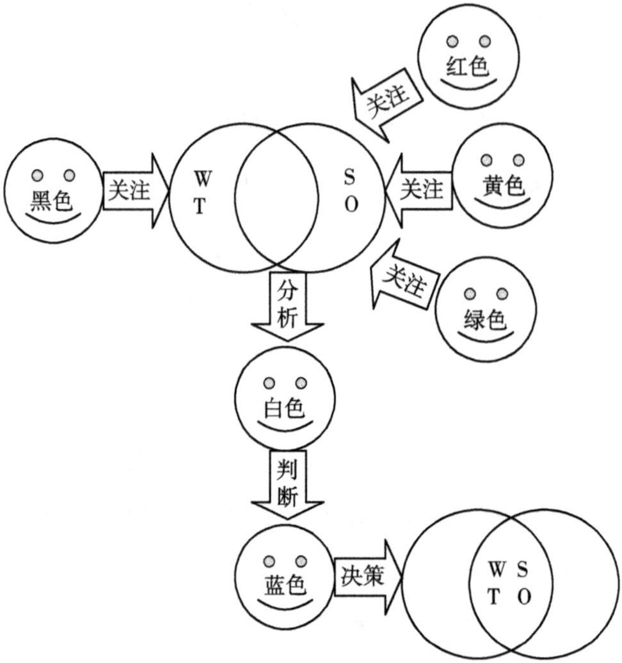

图 5-5 风险处理示意图

观的言语和情绪是可以传染的，它会打击整个团队的斗志。心态比较积极的成员被不恰当地否定后，可能会很反感，甚至产生矛盾。

黑色脸谱应该时刻记住，你是“团队中的我”，你的任务是帮助大家，提醒大家前进路上的陷阱，让大家少犯错误，而不是打击大家。任何问题和观点，不要在了解不深入时轻率下判断，你所了解的可能和事实相去甚远。正确的做法是先听别人陈述充分，如果信息不够，你可以自己收集相关信息，再作出判断。在这种情形下，白色脸谱可以为你提供相当多的信息，并协助你的分析工作。

在表达方式上面，要基于“和谐”的需要，多使用“肯定＋提示”的语句：

“很明显，这个提议十分有价值，值得我们认真研究，但我想提示一点风险，比如……”

“这个提议是有成功先例的，但我们的资源和团队能否满足实施这个提议的需求，请给予关注。”

3. 风险提示≠批评

在团队中设置黑色脸谱，目的是为团队进行风险提示与控制。这是一项职责，而不是一项权力。黑色脸谱第二个不好的倾向，就是容易把风险提示与批评等同起来，潜意识中觉得自己拥有一种权力，有权批评。

“这么浅显的问题，你们都看不到？”

“你们冒这样的风险，是置公司利益于不顾！”

“你们为了自己的局部利益，考虑过整体利益没有？”

“你们把好的方面描绘得五彩缤纷，可你们想过风险了吗?”

这些语言，恐怕大多数人都接受不了。

更有一些黑色脸谱，甚至把风险当成不予配合的借口或者拒绝履行义务的理由。

“这件事情风险太大，我承担不了责任!”

“这样做会严重损害公司利益，我不接受!”

“你们要这样做，你们去承担责任吗?”

“出了事谁负责?你坚持这样做，那你得承担全部责任。”

无论是内心深处，还是语言表达方面，黑色脸谱要让团队成员感受到你是在真诚地帮助他们，而不是去找他们的茬儿，坏他们的好事。

4. 客观与中立

和白色脸谱的分析、评价一样，黑色脸谱的风险提示也必须客观、中立。失去客观、中立，也就失去了黑色脸谱存在的价值。

失去客观，常常是因为自己成了内心情绪的俘虏，主观判断或情绪宣泄战胜了理智。失去中立，则常常是因为有意或无意把自己沦为了他人借刀杀人的“刀”。团队中有个别成员，甚至包括核心成员蓝色脸谱，有时为了达到个人目的，可能会拉拢白色脸谱提供数据“佐证”，拉拢黑色脸谱提供风险“提示”，以影响其他成员，从而按照他的个人意图行事。在这种情形下，黑色脸谱和白色脸谱就成了帮凶，成了“黑白双煞”！

客观和中立，就是不带感情色彩，没有派别倾向，严格按照“剧本”规定的动作和台词，展现自己的发现和判断。

5.8　管理者的定位

我们这里的“管理者”，指的是独立于脸谱式团队之外的领导者，不包括“导演”——团队中的蓝色脸谱。在川剧剧团中，这样的管理者就是剧团领导，比如团长、副团长等。在企业里，这样的管理者就是部门经理、公司的副总经理或总经理等。

管理者有双重身份：一是公司层面脸谱式团队的成员，二是部门脸谱式团队的支持者与服务员。

公司的总经理、副总经理以及各部门经理，组成一个公司层面的脸谱式团队。他们根据各自的知识、技能和个性特质，担任不同的脸谱角色。同时，各位管理者又为自己下辖的团队提供支持和服务。比如，在川剧剧组中，管理者和编剧、舞美设计、服装设计、灯光设计等人员一道，组成一个服务支持团队，这个团队依然是按照六色脸谱来建设。

在企业中，一个执行业务的部门不太可能再配备一个服务支持团队，这一点和剧组是有差别的。但在企业中，依然有“幕后小组”，比如行政部，则可以视为所有业务部门的服务与支持团队。这就面临一个问题，其他部门的管理者如何成为行政部这类公共服务部门的团队一员呢？这时，我们不必让其他部门的管理者加入公共服务部门团队了，他们可以是独立的服务人员，负责为自己所在部门的团队提供跨部门沟通、协调、资源争取与配置等工作。

作为管理者，需要特别提示一点：你是幕后人员，绝不是舞台演员，甚至连导演也算不上。不能因为别人在台上唱得不好你就跑上去唱，不能因为导演干得不好就把人家干掉自己去导。演员有失误，导演有失误，都只能是在演出结束后的总结会议上提出来。

5.9 性格的百花齐放与统一协调

性格百花齐放是比较容易的，在哪里都可以看到这种景象。不管是打造团队还是组建群体，你招来的人，个性肯定都是不一样的。

但是性格的协调统一却不多见。

什么是协调统一？就是为了促进成员之间的相互认同，梳理团队中的不同性格，让这些性格特征透明化，让彼此了解和接纳，然后促使性格特征互补，减少或避免个性冲突。这个表述比较抽象，下面打个形象的比喻：

团队如同一个小水池，不同性格就是池中的小鱼。在缺乏协调统一的情形下，小鱼们按各自的喜好方向游着（图5-6）。如果协调统一了，小鱼们就都按照一个方向游动（图5-7）。鱼儿是很灵活的，在图5-6所示情形下，“撞车”不会发生。但人没有鱼灵活，在一个团队中，个性缺乏梳理，“撞车”就会常常发生。

我们在实践中看到很多“个性紊乱”的团队，这些团队内部冲突十分激烈。这项梳理工作，属于管理者和“导演”。个性协调统一，不同个性的人互补，各自发挥所长，性格差异就由劣势变成了优势，冲突就变成了互帮互助。

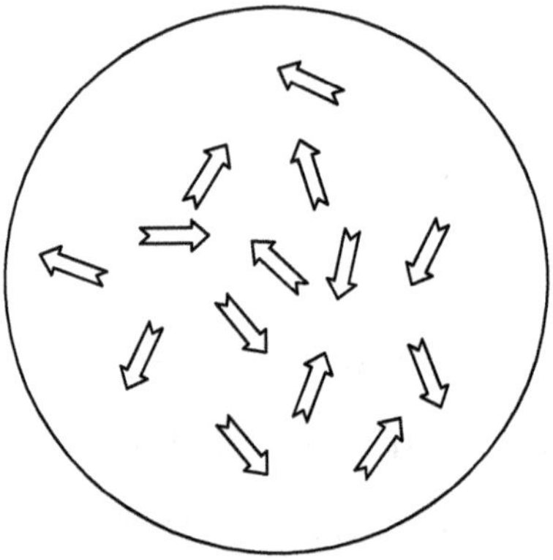

图 5-6　个性缺乏协调统一的“鱼池”

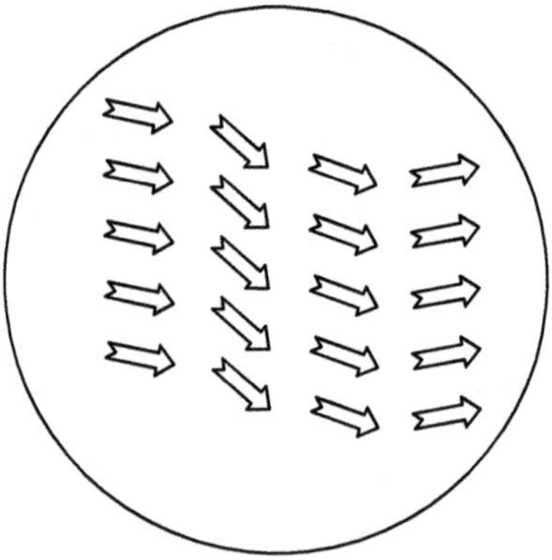

图 5-7　个性协调统一的“鱼池”

如何梳理呢？就是透明化、互补、相互接纳与包容，背后还有利益驱动——齐心协力，和睦共处，实现目标，人人获益。

5.10 成员换位思考的重要性

我们根据不同岗位工作需求，针对不同人员知识、技能和性格差异，按照蓝、白、红、黄、绿、黑六色脸谱组建了团队，让“开放的我”和“团队的我”树立起来后，还有一项工作需要经常做。

那就是经常促进成员换位思考。这样做有利于强化彼此的理解、认同和接纳，有助于协调和配合度的提升。除了意识上的换位思考，我们还可以有计划地进行岗位轮换。岗位轮换除了能强化换位思考外，还可以全方位地培育人才。

岗位轮换，本身是和脸谱式团队的适才适用理念相矛盾的。为了将这一矛盾的影响降到最低，我们要在团队较为成熟的情形之下轮换，即大家彼此对对方的工作已经有了很深的认识，“团队中的我”已经深入人心。

岗位轮换只是一种人才培养和换位思考的需要，不能成为永久性调动岗位。

5.11 性格测试

脸谱式团队中，每个人的性格都是差异化的。那么，如何找到与六色脸谱相对应的人员呢？

应用人力资源管理中的性格测试工具，就可以找到。

人力资源管理中的性格测试工具相当多，利用这些测试工具，配合人员的自我描述和他人的描述，通常能够准确把握一个人的性格特征。除了性格测试工具，还有各类职业倾向测试工具，即测试某一个人适合从事什么工作。

九型人格也是一种精妙的性格分析工具。该工具把人的个性分为九种类型，并对每种类型进行了详细的描述。这一工具发展到今天，已经派生出很多具体的测试手段。

下面是一份简单的性格倾向测试问卷。需要特别指出的是，这套问卷只能测试性格是否外向，要想全面把握一个人的性格，还需要配合其他测试。

说明

在公司里，不同岗位需要不同性格，比如营销、公关岗位的人，应该选择外向型人才，而科研开发岗位则应该选择偏内向型的人才。

本测试正是为这种人才选择提供依据的。

测试题目

以下是60个测试题目，每题都有“是”、“不能确定”、“不是”三种答案。

A卷题，答“是”计为0分，“不能确定”计1分，“不是”计2分；

B卷题，答“是”计为2分，“不能确定”计1分，“不是”计0分；

请你以最快速度回答完毕，并统计A、B卷合计总分。

A卷

1. 当你站在大庭广众面前时，你会感到不好意思。

2. 你愿意一个人独处。

3. 与陌生人打交道，你感到不容易。

4. 当你遇到不快乐的事情时，你能抑制感情，不露声色。

5. 你不喜欢社交活动。

6. 你不会把自己的想法轻易告诉别人。

7. 对问题，你喜欢刨根问底。

8. 你凡事很有主见。

9. 会议休息时，你宁肯一个人独坐也不愿同别人聊天。

10. 当你遇到难题时，你非弄懂不可。

11. 你不善于和人辩论。

12. 你时常因为自己的无能而沮丧。

13. 你常常对自己面临的选择犹豫不决。

14. 你喜欢把自己拿去和别人比较。

15. 你容易羡慕别人的成绩。

16. 你很在意别人对你的看法。

17. 在发现异常现象时，你容易产生丰富的联想。

18. 你总是把家里收拾得干干净净。

19. 你做事很细心。

20. 你十分注意维护自己的信用形象。

21. 你信奉“不干则已，干则必成”这一格言。

22. 拿到一本书，你可以反反复复看几遍。

23. 你做事情大多有计划。

24. 你在学习时，不容易受外界干扰。

25. 读书时，你的作业大多整洁、干净。

26. 一旦对人形成一种看法，你不会轻易改变这一看法。

27. 你不喜欢体育活动。

28. 在买东西前，你总要比较估量一番。

29. 遇到不愉快的事情，你会生气很长时间。

30. 你常常担心自己会遭遇失败。

B 卷

1. 你总是对人一见如故。

2. 你喜欢表现自己。

3. 开会时，你喜欢坐在显眼的地方，以便更容易被人注意到。

4. 你在众人面前总是能爽快地回答问题。

5. 你愿意经常和朋友在一起。

6. 逛商店时，你只要认为是好东西立即就会买下来。

7. 对别人的意见，你很容易接受。

8. 你喜欢高谈阔论。

9. 决定问题时，你是一个爽快的人。

10. 常常不等别人把话讲完，你就觉得自己已经懂得了。

11. 当遇到挫折时，你不轻易丧气。

12. 碰到高兴事时，你极容易喜形于色。

13. 对别人的事情，你不太注意。

14. 你喜欢憧憬未来。

15. 你相信自己不比别人差。

16. 你不太注意外表。

17. 即使做了亏心事，你也会很快遗忘。

18. 你自己放的东西，却常常不知在哪里。

19. 对于别人的请求，你总是乐于帮助。

20. 你总是热情来得快，消退得也快。

21. 你做事情更注意速度而不是质量。

22. 你不习惯于长时间看书。

23. 你的兴趣广泛，但经常变换。

24. 在开会时，你喜欢同人交头接耳。

25. 答应别人的事情经常会忘记。

26. 你容易和人交朋友。

27. 对电视中的球赛节目，你非常感兴趣。

28. 你不看重经验，不惧怕从来没做过的事情。

29. 当你做错了事，你很容易承认和改正。

30. 你容易原谅他人。

评价

A、B卷合计得分90分以上，是典型的外向性格；

A、B卷合计得分71～90分，是稍外向性格；

A、B卷合计得分51～70分，是外、内混合型性格；

A、B卷合计得分31～50分，是稍内向性格；

A、B卷合计得分30分以下，是典型的内向性格。

5.12 定位目的——人人“入戏”，戏戏动人

在团队建设中，最常见的失败通常都是团队成员选择与配置的失败。成员选择和配置不成功，会带来一系列的问题：

要么人员冗余，职责出现重叠；要么人员不足，有些职责无人履行。

彼此不认同、冲突时有发生。

彼此不互补，某些关键知识和技能谁也不会。

配合难，沟通不畅，协调不好，内耗严重。

要么缺乏创造性，要么盲目乐观，乱冒风险。

彼此对立，而非相互制约，团队自律性差。

成员对团队缺乏归属感，团队凝聚力不强。

人才流失严重，需要经常补充人员。

……

我们进行脸谱式团队角色定位，最根本的目的就两个字：“入戏”，即进入戏剧角色。

每一个人了解了自己的角色，知道如何表演，一上台就可以进入戏剧当中，忘掉自我。

同时，每一个人了解他人的角色，知道如何配合，别人说了上句台词，他接得了下句，别人做了上一个动作，他知道如何做下一个动作，承接自然流畅。

戏要好看，全靠演员。演员的表演，全靠导演。导演又得靠团队和剧本。无演员，无法演，无剧本，不知道如何演。

人人入戏，戏戏好看，这是剧组的目的。人人各司其职，团队高效运作，这是团队的目的。

第 *6* 章

剧本——执行手册

三步搞定脸谱式团队建设，第一步是目标树立，第二步是角色定位，第三步是行动手册制定。在本章，我们讲第三步。

6.1 剧本比演员重要

不仅仅是川剧，几乎所有的剧种都离不开剧本。

即使每一个演员的创作能力都非常强，可以做到一边创作一边表演，也无法让一出戏表演完美。因为一出戏通常不是一个人在演，而是多人配合着演出。如果大家都在舞台上一边创作一边演，彼此怎么知道对方下一句台词是什么，下一个动作是什么呢？即使是独角戏，要高质量地演出，也得有剧本，现场创作难免支离破碎，情节编制不尽如人意。

剧本明确了每一个演员的台词、动作，甚至细化到人物表情。演员按照剧本的规定来表演，现场是不允许创作的——除非导演要求现场更改，而且导演也不能改变编剧的意图。现代电影剧本常常通过对白来推动情节，对动作、表情描述很简单甚至不描述，这里的细化工作是留给导演的，也是留给演员现场发挥的，当演员发挥的和导演一致时，这组镜头就通过了。在电影拍摄过程中，一个镜头常常要重拍多次，就是因为演员发挥不过关。不管是剧本中明确，还是导演现场设置，有一点是非常重要的：一旦确定下来，演员就只能不折不扣地再现剧本要求，而不能随意更改。

在《你在为谁工作——白领安小晓成长启示录》一书中，我写了一个电影剧本《白领安小晓》，下面这段文字就摘自其中。阅读这段文字时我们可以看出，一个非专业的演员按照这段文字，也可以把情节再现出来。

读者朋友注意，这里提到“一个非专业的演员”。我的意思并不是说非专业演员可以演好，但非专业演员把情节表达出来是没有问题的。更深层次的意思是，剧本比演员重要。没有演员，剧本的价值依然存在。没有剧本，演员却没法工作。在很多时候，剧组选择大牌明星，更多的是出于商业上的需要，是为了票房，而不是这个剧本非得由这个明星来演绎。

小屋子里　晚上

灯光有些昏暗，照着陈旧斑驳的四壁。屋内陈设很简单，一张小床，一个可拆卸的小布套衣柜，一张小茶几，茶几上放着一部旧彩电。

肖聪明坐在床边，不停地用遥控器选着电视节目，眼睛看着电视。

安小晓坐在他身边，盯着他，表情很生气，恨不得一口吃掉他。

肖聪明：“没钱，就是没钱！你知道我就那点儿工资。”

安小晓：“你不能见死不救啊！我爸早晚也是你爸啊！”

肖聪明一副不在乎的样子：“救啊，怎么不救呢，可我没那个能力啊。”

安小晓抓起枕头，狠狠地扔在地上，站起来，用力地踹：“这日子没法过了！你像个男人吗？要钱没钱，要房没房！”

肖聪明依然不停地选着节目，看也不看她一眼：“我就这样了，你不是挺喜欢我这样的吗？”

安小晓转过身，面向着他，指着他的鼻子：“这可是你说的？”

肖聪明：“是我说的。”

安小晓一跺脚，转身抓起床上的背包，拉开房门，冲了出去。

肖聪明这才站起来，丢下遥控器，追上去，拉住她：“宝贝，是我错了，别走啦！”

安小晓倚在他怀里，哭起来，肩膀不停地抽动。

肖聪明拍着她：“明天我去借点钱，先给你爸寄回去，我再去找公司一个哥们，让他给你安排一份工作。”

安小晓边抽泣边说：“能行吗？我总是丢工作，对找工作一点信心也没有了。”

肖聪明：“行！你老公做事不行，搞关系还是有一套的啊！我不是在行政部负责车辆调度吗？我常常照顾销售经理秦诵，不管公司车辆多紧张，配给他的车，从来不会动用，他对我印象不错。”

安小晓：“就这么点交情啊？没指望。”

肖聪明：“要有信心嘛，我明天就去找他。”

6.2 剧本就是执行手册

剧本是导演和演员的行动手册。那么，在组织中，脸谱式团队的“剧本”又是什么呢？是执行手册。导演按照剧本指导演员，演员按照剧本表演。在团队中，团队成员按照执行手册开展每一项工作。

企业里的工人，有设备操作手册，有产品工艺手册，这些是他们工作的“剧本”。人事管理员，有人事管理制度，有员工入职办理流程，有员工入职培训内容，这些是他们的“剧本”。会计人员，有会计核算流程，有收集各类单据的流程，有费用借支或审批流程。即使是工作灵活性很大的销售人员，也需要手册：出去拜访客户，需要携带的工具清单，见了客户后的销售说辞和产品演示流程，客户签单流程，售后服务流程等，都是他们的“剧本”。

如果“剧本”编写得好，每一个岗位都有一本执行手册，详细地介绍了这个岗位的常规工作如何开展，需要注意些什么，哪些节点上容易出问题，需要向谁负责，与谁沟通，与谁配合，在哪里取得资源和支持等等，那么，即使一个新员工也能够比较顺利地开展工作。

在手工业时代，培育新人是采取师带徒的方式，师傅手把手地教，徒弟手把手地学，没有“剧本”，或者说“剧本”在师傅脑子里没有整理出来。在这种情形下，人才成长慢，一个师傅能够带的徒弟也很有限。这种方式早已不适应现代企业的需要了。现代企业需要的是按标准化模式，快速、批量地“生产”人才。“剧本”满足了这种需求。记得 20 世纪 90 年代初，我刚到国有企业上班时是跟着一位老会计实习，通常是自己摸索，不懂就问，老会计不会主动来指点我。我感觉学得很慢，仅仅是认识企业里与我相关联岗位的人员，就花去好长一段时间。后来，我离开了国有企业，到了外资企业。在办理入职手续时，管人事的就给我两份材料，一份包括公司简介、企业文化、部门设置及职能划分、与员工密切相关的管理制度、公司各层次的管理干部、公司员工名册，另一份则是会计工作手册，包括各类流程、表单、相关岗位的协助内容等。到了外资企业的第二天，我就可以上手工作了，几天时间就和老员工差不多了，这完全得益于那两份材料，它们实际上就是我的“剧本”。

编写“剧本”是相当耗费人力的，这也许是很多组织不愿意制定详尽的覆盖每一个岗位的执行手册的根本原因。不仅耗费人力，做到标准化也是很困难的事情，它需要不断地被检验和修订，就像剧本写作一样，要详尽到每一个标点符号都运用恰当。

标准化是"轻模式"的灵魂，我们在《"轻模式"01：减法管理》中，专门用了一章来阐述这个问题。员工的"剧本"，其实就是标准化的执行手册。标准化不仅标准，还有稳定的含义，一旦定稿了，就不能随意改变。今天张三来做这项工作，他的执行手册是这一套，明天李四来做这项工作，他的执行手册也是这一套——当然，并不排除手册的细节完善。

6.3 "剧本"的标准化内容

一套优秀的执行手册，应该包括哪些内容呢？

我们在为企业提供"轻模式"实施服务时，协助制定的"执行手册"主要包括两大类：一是"部门执行手册"，二是"岗位执行手册"。此外，针对专门的项目小组，需要一份执行手册。对于管理团队，需要提供针对具体事项的执行手册，比如决策手册、会议手册、签批手册等。

“部门执行手册”包括十项标准化内容，它是部门负责人的“剧本”。具体如下：

◎部门职责标准化

◎人员编制标准化

◎工作流程标准化

◎岗位设置标准化

◎岗位职责标准化

◎岗位流程标准化

◎岗位考核标准化

◎管理制度标准化

◎工作计划标准化

◎部门会议标准化

“岗位执行手册”包括十五项标准化内容，它是脸谱式团队中不同成员的“剧本”。“岗位执行手册”中的“岗位职责标准化”、“工作流程标准化”和“部门执行手册”中的“岗位职责标准化”、“岗位流程标准化”是相同的。每一个脸谱的“剧本”是不一样的，下面是财务部预算主管的“剧本”内容：

A. 岗位基础类

（1）任职资格标准化

（2）岗位职责标准化

B. 绩效管理类

（3）工作计划标准化

（4）工作流程标准化

（5）工作总结标准化

（6）绩效考核标准化

C. 管理约束类

（7）自我管理标准化

（8）工作日志标准化

（9）沟通汇报标准化

D. 工作环境类

（10）形象礼仪标准化

（11）工作行为标准化

（12）工作环境标准化

E. 管理工具类

（13）工作文书标准化

（14）工作工具标准化

（15）管理制度标准化

F. 附录：岗位技能要点

6.3 “剧本”编写与完善

川剧的剧本，可能一个人创作就够了。但组织的执行手册编写，却不是一个人或是一个部门就能完成的工作，这是一项浩大的工程。把浩大的工程分散来完成，难度就会小得多。从保证质量和不脱离实际两方面来说，也必须分散来完成，因为没有一个部门，更没有一个人熟悉组织中每一个部门每一个岗位的工作。

执行手册的编写，通常按下列流程来实施，如图 6-1 所示。第一步是主持部门（通常是人力资源部）下达任务给每一个部门每一个人，包括下达标准化范本；第二步是主持部门收集各部门的“作业”，对不符合标准化内容和格式的，退回重做；第三步是主持部门深入调研，逐一核对、修改；第四步是主持部门将修改后的手册交各部门提意见；第五步是主持部门召集各部门一对一讨论并定稿；第六步是颁布执行。

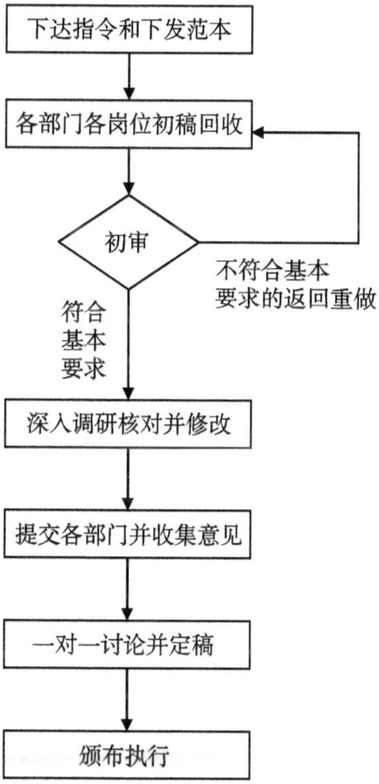

图 6－1 团队执行手册编写流程

我们在本书中已经多次提到，脸谱式团队的每一个成员，虽然都是按“剧本”不折不扣地执行，但并不排除创造性，只是这种创造性存在一个集中的环节。所谓集中，就是所有的创造性都需要集中到“导演”——蓝色脸谱——那里，由他处理或上报处理，在处理结果下来之前，任何人都必须按原来的“剧本”执行，绝对不能因为你“百分之百相信剧本要改动”，就按你认为的“新剧本”先执行了。在团队中，是没有“原来的我”的，你只能再现“剧本”中的角色，说角色的话，做角色的动作。

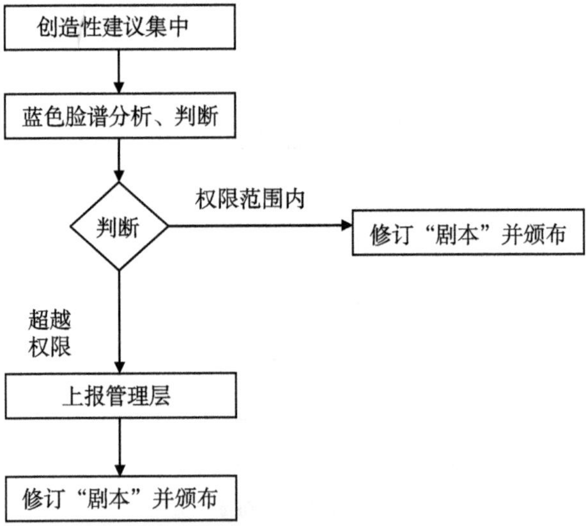

图 6－2 执行手册完善流程

“剧本”——执行手册的完善，也遵循着标准化的流程，如图 6－2 所示。

没有任何一部执行手册可以做到绝对完善，即使在当下是十分完善的，随着时间的推移和组织的发展，这部手册也会有不适应工作需要的时候，这就需要我们定期完善，甚至需要做较大的修订和调整，我们称之为“版本升级”。

第 7 章

立即行动：从“改造”开始

相信读者看到这里，已经对脸谱式团队有了基本的认识。假如你现在就在一家企业中，面对着已经存在的一个又一个部门，一群又一群士气不算高的人员，你该如何开展脸谱式团队建设呢？

当然，你不可能把现在的部门通通取消，把人员一一赶走，一切从零开始。你需要从“改造”开始，将现在处于“群体”状态的部门，改造为“团队”。

7.1 管理层达成共识

要不要改变现状，要不要搞脸谱式团队建设，管理层必须首先达成共识。如果这一层面都不能统一思想，接下来的工作就很难开展。

如果你是脸谱式团队的倡导者，首先要对现状进行分析，让管理层明白现在的“群体”状态不利于公司发展，让他们知道什么是团队，什么又是脸谱式团队。一群人在一起工作，不叫团队，只能叫群体。人民公社时期，一群在田里工作的农民是团队吗？当然不是。包产到户后，一家人在田里劳动，扶犁的扶犁、施肥的施肥、播种的播种、洒水的洒水，无意中却成就了一个良好的生产团队。在一个川剧表演场，台上是团队，台下的观众则只是群体。这些通俗的比喻，相信很多管理者都是能够理解的。其次，要向管理层讲述脸谱式团队的特点是什么，优势在哪里。

7.2 制订工作计划

管理层达成共识后，就需要制订详细的工作计划了。这份计划包括成立一个执行本次任务的团队——可以给该团队一个名称，比如“一号团队”。这个团队目标是完成全公司脸谱式团队的建设工作，这个团队本身也按脸谱式团队来打造，各个成员担任不同色彩的角色，并按照大家一致认可的执行手册开展工作。

这份计划涉及的内容有调研、测试、各部门目标制定、角色定位和执行手册的制定。计划部分，还应当配备相应的奖惩措施。

7.3 现状调研和人员测试

“一号团队”按照分工对全公司所有部门所有岗位进

行拉网式调研，包括：部门工作效率，存在的困难，人员配置情况，是否具备标准化的管理手册、手册质量如何，部门内每一个员工的知识、技能和性格测试。

在这个过程中，“一号团队”成员要坚持“回避原则”，避免自己对自己部门进行调研。但在其他成员对自己部门进行调研之后，你需要参与讨论，并对出现偏差的地方提出自己的意见和建议。

7.4 团队目标树立

公司层面团队的目标就是公司的目标，这个层面的团队改造起来难度要大一些。比如，通过测试，发现某个人不适合他现在的岗位，这时也不能说调整就调整，还要考虑队伍的稳定性和工作的延续性。

部门团队的目标就是各自部门的工作业绩目标，比如财务部的目标是按时完成核算任务，按时出具财务报告并按时申报税收。当然，还有一系列的目标，包括资产安全目标、财务费用控制目标等。实际上，我们在部门的业绩考核量表中就可以找到这些目标。表7－1是A公司财务部的考核量表，它摘自《“轻模式”05：桥梁式考核》一书。我们可以将量表中的每一个指标确定一个量值后，作为部门的目标，也可以把所有指标期望达到的考核评分作为部门目标。

表 7-1　A公司财务部考核量表

指标维度	权重	指标	考核频率	评分方法	数据来源
内部运营	10%	净利润率	月/年	公式：净利润÷销售收入×100%。不低于 14.83%，每小于 0.1 个百分点（比如 14.73%），扣 5 分。分月考核，年度汇总考核（不是 12 个月平均分）	财务部
	15%	财务费用率	月/年	公式：财务费用÷销售收入×100%。不超过 5 %，每大于 0.1 个百分点（如 5.1%），扣 5 分。分月考核，年度汇总考核（不是 12 个月平均分）	财务部
	5%	存货周转率	年	公式：销售收入÷平均存货余额。不低于 4.86 次。每小于 0.1，扣 5 分（若公司因战略需要囤积材料，经财务部申请，总经理批准后，指标可下调为 4.3 次）。月份考核时，本项不考核，本指标权重加到“净利润率”和“日常工作”上去，各加 5%	财务部
	10%	财产及信息安全	月/年	发生 5 万元以上损失的事项 0 次，财务信息泄露发生次数为 0。出现一次扣 100 分	总经办
	10%	资金风险	月/年	资金无法供应持续 3 天事故 0 次。发生一次，扣 100 分	总经办
	10%	税务风险	月/年	重要数据被税务部门获取，损失超过 30 万元（全部）事故 0 次。发生一次，扣 100 分	总经办

表7-1（续）

指标维度	权重	指标	考核频率	评分方法	数据来源
桥梁式考核	4%	人事行政部评分	月/年	详见附表*	人事行政部
	5%	贸易公司评分	月/年	详见附表	人事行政部
	2%	OEM部	月/年	详见附表	人事行政部
	5%	采购部	月/年	详见附表	人事行政部
	5%	制造中心	月/年	详见附表	人事行政部
	2%	客户服务部	月/年	详见附表	人事行政部
	2%	质量技术中心	月/年	详见附表	人事行政部
	5%	总经办	月/年	详见附表	人事行政部
学习与发展	5%	总经办	月/年	未完成人事行政部安排的培训计划（不得占用周一至周五白天时间）扣30分；部门成员参与人事行政部组织的专业考试成绩平均分低于90分，扣30分；末位淘汰人员出现在该部门，一次扣30分	人事行政部
日常工作	5%	总经办	月/年	以总经办盘点为准，未按时完成并无通过的延期申请，一项扣30分	总经办

*附表详见《“轻模式”05：桥梁式考核》中表5-15。

7.5 角色配置

角色配置有三项基础工作：一是人员的知识、技能和性格测试，二是部门工作量的分析，三是人力资源管理中的工作分析——对每一岗位的工作量、工作效率等进行分析。

角色配置，就是根据部门内部人员的特点，对应蓝、白、红、黄、绿、黑六色脸谱来配置人员。我们要明确地告诉所配置人员两个信息：

“你在我们团队中，是……脸谱。”

“你在我们团队中，履行……任务。”

一般来说，蓝色脸谱是现成的核心成员。但如果这个成员明显不适合，我们就应该考虑替换他。

如果部门团队工作量较小，所需要的人员少于六个，怎么办？白色脸谱、黑色脸谱可以由他人兼任，红、黄、绿三色脸谱也不一定要配齐。如果整个部门就一个人，这个部门就不能称其为团队了（部门也没有必要设置），这个人可以加入其他层次的团队中去。比如，在一家小公司，财务一名、人事一名、行政一名，这三个人可以组成一个脸谱式团队，而无须设三个部门或团队了。

如果部门工作量很大，所需要的人员超过六名，又该怎么办？设置助理人员。比如白色脸谱对应的工作量需要两个人，就设置“白色脸谱1”、“白色脸谱2”。

需要特别强调的是，在人员配置过程中，经过测试的确不适合的人员就一定要调整，绝对不能勉强使用。

配置好人员之后，要促进成员之间的相互认同和接触，通过一定形式让大家做“开放的我”。针对具体的成员，还要帮助他们做“团队中的我”，让他们明白进入工作状态后，就不再是“原来的我”了。

以财务部为例，我们可以按表7－2配置角色。对于人力资源部，我们则可以按表7－3来配置角色。

表7－2 财务脸谱式团队角色配置

脸谱	岗位	主要工作
蓝色脸谱	主办会计	负责整个团队的管理、协调，并负责向部门负责人汇报工作并传递其指标
白色脸谱	财务分析会计	负责财务分析，出具分析报告，并对团队各成员的工作进行分析和进度控制
红色脸谱	出纳员	负责资金的收付，需要严格把关，并对各级审批的规范性进行复核

表 7-2（续）

脸谱	岗位	主要工作
黄色脸谱	税务会计	负责税务核算与申报、缴纳，负责税务政策的落实；需要经常与税务征管人员打交道
绿色脸谱	核算会计	负责销售、材料、往来账、费用等核算；与各业务部门打交道比较多，工作中需要较多的创造性
黑色脸谱	资产管理会计	负责资产安全控制，资金链控制，负责组织资产清查等工作，需要具备较强的安全意识

表 7-3 人力资源脸谱式团队角色配置

脸谱	岗位	主要工作
蓝色脸谱	人力资源助理	负责整个团队的管理、协调，并负责向部门负责人汇报工作并传递其指标
白色脸谱	薪酬与考核	薪酬计算、考核及分析工作，同时对团队成员工作进行分析和进度控制，需要具备较强的数据分析能力
红色脸谱	人事管理	严格按照人事管理制度，对人员进行动态管理，并做好相应的档案
黄色脸谱	员工关系管理	协调员工关系，统理员工情绪，减少冲突，营造和谐的环境
绿色脸谱	培训管理	负责员工职前和在职培训，提升员工综合素质，其间涉及课程的规划与设计
黑色脸谱	劳动风险控制	处理劳动保险事务和劳动纠纷，将用工风险降到最低限度

7.6　标准化手册制定

在现实中，很多企业在这方面都有一定的积累，多多少少有一些岗位手册、职务说明书什么的。这些资料可以利用，但要进行逐一修订，同时按照本书第 6 章讲述的流程，对其他标准化内容进行补充和完善。

标准化手册一经完成并颁布实施，我们的脸谱式团队建设工作也就基本完成。接下来就是团队学习与成长了。

图书在版编目（CIP）数据

轻模式. 4，脸谱式团队／邱庆剑 著. —北京：东方出版社，2013. 8
ISBN 978-7-5060-6779-9

Ⅰ. ①轻… Ⅱ. ①邱… Ⅲ. ①企业管理—组织管理学 Ⅳ. ①F270

中国版本图书馆 CIP 数据核字（2013）第 203616 号

“轻模式”04：脸谱式团队
（“QING MOSHI” 04：LIANPU SHI TUANDUI）

作　　者：邱庆剑
责任编辑：申　浩
出　　版：东方出版社
发　　行：人民东方出版传媒有限公司
地　　址：北京市东城区朝阳门内大街 166 号
邮政编码：100706
印　　刷：北京京都六环印刷厂
版　　次：2013 年 11 月第 1 版
印　　次：2013 年 11 月第 1 次印刷
印　　数：1—6000 册
开　　本：880 毫米 × 1230 毫米　1/32
印　　张：4. 75
字　　数：70 千字
书　　号：ISBN 978-7-5060-6779-9

发行电话：（010）65210056　65210060　65210062　65210063

www.ingramcontent.com/pod-product-compliance
Lightning Source LLC
Chambersburg PA
CBHW050500080326
40788CB00001B/3920
9787506067799